APOCALIPSE

APOCALIPSE

A MAIOR PROFECIA DO MUNDO

LAMARTINE
POSELLA

Vida

Editora Vida
Rua Conde de Sarzedas, 246 — Liberdade
CEP 01512-070 — São Paulo, SP
Tel.: 0 xx 11 2618 7000
atendimento@editoravida.com.br
www.editoravida.com.br
@editora_vida /editoravida

APOCALIPSE: A MAIOR PROFECIA DO MUNDO
©2019, Lamartine Posella

Todos os direitos desta edição em língua portuguesa reservados e protegidos por Editora Vida pela Lei 9.610, de 19/02/1998.

É proibida a reprodução desta obra por quaisquer meios (físicos, eletrônicos ou digitais), salvo em breves citações, com indicação da fonte.

∎

Exceto em caso de indicação em contrário, todas as citações bíblicas foram extraídas de *Nova Versão Internacional* (NVI) © 1993, 2000, 2011 by International Bible Society, edição publicada por Editora Vida. Todos os direitos reservados.

Todas as citações bíblicas e de terceiros foram adaptadas segundo o Acordo Ortográfico da Língua Portuguesa, assinado em 1990, em vigor desde janeiro de 2009.

∎

As opiniões expressas nesta obra refletem o ponto de vista de seus autores e não são necessariamente equivalentes às da Editora Vida ou de sua equipe editorial.

Os nomes das pessoas citadas na obra foram alterados nos casos em que poderia surgir alguma situação embaraçosa.

Todos os grifos são do autor, exceto indicação em contrário.

Editor responsável: Gisele Romão da Cruz
Editor-assistente: Marcelo Martins
Preparação de texto: Sônia Freire Lula Almeida
Revisão de provas: Josemar de Souza Pinto
Projeto gráfico e diagramação: Claudia Fatel Lino
Capa: Arte Peniel

1. edição: ago. 2019
1ª reimp.: mar. 2020
2ª reimp.: jan. 2021
3ª reimp.: jan. 2023
4ª reimp.: nov. 2024

Dados Internacionais de Catalogação na Publicação (CIP)
(Câmara Brasileira do Livro, SP, Brasil)

Posella, Lamartine
   Apocalipse : a maior profecia do mundo / Lamartine Posella. -- São Paulo : Editora Vida, 2019.

   ISBN 978-85-383-0404-3
   e-ISBN 978-65-5584-168-8

   1. Bíblia. N.T. Apocalipse - Crítica e interpretação 2. Bíblia. N.T. Apocalipse - Profecias I. Título.

19-27735   CDD-228.06

Índices para catálogo sistemático:
1. Apocalipse : Profecias : Interpretação : Bíblia 228.06
Maria Paula C. Riyuzo - Bibliotecária - CRB-8/7639

Dedicatória

Dedico este livro à minha esposa Lylian, que,
durante todos estes anos, me apoiou para
que escrevesse um livro sobre o Apocalipse.
Seu encorajamento, sua intercessão
e seus constantes reforços emocionais foram
fundamentais para a concretização deste sonho.

Agradecimentos

Agradeço à minha filha Érica e ao meu genro Ramon, que tanto me apoiam emocional e espiritualmente.

Agradeço aos milhares de seguidores em todas as mídias sociais. Seus constantes pedidos para que eu escrevesse um livro sobre escatologia bíblica me inspiraram.

Agradeço aos meus companheiros de ministério, às minhas ovelhas que tanto me encorajam e, sobretudo, a Deus, pois dele vem todo conhecimento e toda inspiração.

Sumário

Introdução 11

Capítulo 1

A maior profecia do mundo 13

Capítulo 2

O crescimento exponencial da tecnologia 31

Capítulo 3

O arrebatamento da Igreja e a grande tribulação 45

Capítulo 4

Inteligência artificial, o homem brincando de Deus 65

Capítulo 5

A grande tribulação 81

Capítulo 6

Quem será arrebatado? 105

Apocalipse

Capítulo 7

Panorama de Apocalipse   123

Palavra final   151

Introdução

Um dos grandes interesses do ser humano é desvendar o fim dos tempos. Será que existe? Quando e de que forma acontecerá? Há realmente uma forma de compreender a proximidade? É possível redenção para uma humanidade cada vez mais próxima do mal?

Com a vinda de Jesus a este mundo, os cristãos encontraram a resposta para a grande questão da redenção. Contudo, o fim dos tempos ainda parecia um mistério, até que o apóstolo João recebeu uma revelação.

Desde então, o Apocalipse tem sido, em todas as épocas, motivo de grande interesse da cristandade. Entretanto, diante da situação que vivemos em nossos dias, sinto que falar sobre o tema nunca foi tão pertinente.

Eu me converti em um acampamento de Carnaval, cujo tema central foi o livro de Apocalipse. Apaixonei-me por esse tema e, durante trinta e sete anos, estudei-o exaustivamente, inclusive pesquisando autores que tinham posições completamente diferentes da minha.

Em razão disso, frequentemente eu recebia pedidos para publicar meus estudos e pregações. Pois bem, no ano passado, fiz um grande congresso sobre o tema, ao final do qual decidi que o momento para agir nessa direção havia chegado. Fico feliz por poder compartilhar com todos os que amam esse tema o resultado destes mais de trinta anos de estudos e reflexões.

Tenho certeza de que você será muito impactado.

A maior profecia do mundo

O fim dos tempos sempre despertou o interesse da humanidade. Desde que o apóstolo João teve a visão do Apocalipse na ilha de Patmos, muitos estudiosos têm se dedicado ao longo dos séculos a desvendar os segredos que permeiam a Revelação. Com isso, surgiram naturalmente diferentes posições e visões ao longo do caminho. E a principal razão dessas diferenças está na origem bíblica do Apocalipse.

Desse modo, "Onde tudo começou?" e "De que forma tudo terminará?" são as perguntas que precisamos responder se quisermos, de fato, compreender a vontade de Deus para os últimos dias.

Os preteristas interpretam que os acontecimentos registrados no livro de Apocalipse já aconteceram nos primeiros séculos depois de Cristo. No entanto, o cumprimento de algumas profecias não faria o menor sentido naquela época. Na verdade, a maioria das revelações relacionadas ao Apocalipse

Apocalipse

está reservada, segundo a ideia que aqui defendemos, para os dias atuais, ou seja, o tempo em que você e eu vivemos.

Para descobrir a origem do Apocalipse, bem como definir a época de seu cumprimento, analisaremos o capítulo 9 do livro de Daniel, que contém os principais fundamentos bíblicos sobre o fim dos tempos. Sem entender esse texto, que descortina o futuro da humanidade, correremos o risco de cometer uma série de distorções teológicas.

Na minha opinião, Daniel 9 constitui a maior profecia escatológica descrita na Bíblia, pois é a única que tem "data de cumprimento". Explico: há muitas profecias na Bíblia que já tiveram o seu cumprimento, mas nenhuma delas tem uma data comprovada de início e fim. Já a profecia de Daniel 9 teve início com o decreto de Artaxerxes, e o cumprimento, no caso a morte de Jesus, é explicado ao fazermos a conta indicada pela profecia. A razão de essa profecia ser tão extraordinária é a sua acuidade histórica. Além disso, o livro de Apocalipse foi todo inspirado nesse texto. Vejamos o que ele diz:

> "Setenta semanas estão decretadas para o seu povo e sua santa cidade a fim de acabar com a transgressão, dar fim ao pecado, expiar as culpas, trazer justiça eterna, cumprir a visão e a profecia, e ungir o santíssimo. Saiba e entenda que, a partir da promulgação do decreto que manda restaurar e reconstruir Jerusalém até que o Ungido, o príncipe, venha, haverá sete semanas, e sessenta e duas semanas. Ela será reconstruída com ruas e muros, mas em tempos difíceis. Depois das sessenta e duas semanas, o Ungido será morto, e já não haverá lugar para ele. A cidade e o Lugar Santo serão destruídos pelo povo do governante que virá. O fim virá como uma inundação: guerras continuarão até o fim, e desolações foram decretadas" (Daniel 9.24-26).

Desde jovem, Daniel conhecia muito bem a profecia de Jeremias que previa para os judeus setenta anos de cativeiro na Babilônia. Foi por isso que ele orou ao Senhor clamando por misericórdia, pois entendia que aquele período se aproximava do fim. A cidade de Jerusalém estava desolada; o templo, destruído. Agora que o cativeiro estava terminando, *qual seria então o futuro de Israel?*

Durante vinte e um dias, Daniel clamou ao Eterno pedindo uma resposta sobre o destino de seu povo. Entretanto, ele não imaginava que a revelação trazida pelo anjo Gabriel seria tão profunda e abrangente, muito além do término dos setenta anos na Babilônia. O anjo precisou ampliar a visão de Daniel para que ele pudesse contemplar a linha histórica do povo judeu como um todo até o fim dos tempos.

Que segredos foram revelados na profecia do anjo Gabriel?

Setenta semanas estão decretadas. A expressão hebraica usada pelo anjo para definir "semana" foi *shabua*, que significa literalmente "sete". Portanto, não se trata da semana como o conjunto de sete dias, como estamos acostumados a ter no calendário. Na realidade, o anjo estava dizendo "Setenta [setes] estão decretad[os] para o seu povo e sua santa cidade". Certamente, seria um tempo muito maior do que apenas sete anos. Assim, podemos concluir que Gabriel fazia menção ao período até o fim dos tempos.

Sobre o seu povo e sobre a sua cidade. A quem se destinava aquela profecia? Ao povo contemporâneo de Daniel, ou seja, aos judeus que viviam no cativeiro da Babilônia, pois as tribos do norte de Israel haviam sido capturadas pelos

Apocalipse

assírios, e nunca mais retornaram. E qual era a cidade de Daniel? Jerusalém. Isso reforça que o anjo estava profetizando o que aconteceria com os judeus e com Jerusalém nos últimos dias.

A fim de acabar com a transgressão. Que pecado havia levado Israel para o cativeiro? Antes de os babilônios invadirem Jerusalém, os judeus estavam contaminando a fé em Deus com os rituais pagãos. Chegaram a ponto de adorar os baalins, imagens dedicadas ao deus fenício Baal. Todavia, depois do cativeiro, os judeus nunca mais adoraram falsos deuses; foi desse modo que cessou a transgressão citada pelo anjo.

Dar fim ao pecado, expiar as culpas. Quem a Bíblia afirma categoricamente que espiou os nossos pecados? *Jesus.* Portanto, o anjo Gabriel estava revelando a Daniel quando seria a vinda do Messias, inclusive definindo a data em que ele seria sacrificado no Calvário. *Agora você entende por que essa é a maior profecia do mundo?* Cada frase dela tem um significado inestimável e revelador.

Para trazer justiça eterna. Aqui há uma referência ao milênio, um tempo futuro quando Jesus governará o mundo todo com justiça e juízo. Conversaremos sobre isso mais adiante.

Para cumprir a visão e a profecia. Isso significa que todas as profecias do Antigo Testamento se cumprem no Novo Testamento, após a vinda de Jesus.

Para ungir o santíssimo. O Lugar Santíssimo só existia em um local, no templo de Jerusalém. Pensemos nisso. A História relata que o segundo templo foi destruído em 70 d.C., sob o comando do general romano Tito. O que significa que, para que a profecia se cumpra, um *terceiro templo* terá de ser construído. Quase todos os utensílios do novo templo — a menorá de ouro, as vestes sacerdotais e os demais objetos — já foram

A maior profecia do mundo

reproduzidos e estão guardados sob a supervisão do Instituto do Templo em Jerusalém. Só falta a arca da aliança. Essa é uma prova irrefutável de que os judeus ainda esperam a vinda do Messias, por isso o terceiro templo será erguido.

A partir da promulgação do decreto que manda restaurar e reconstruir Jerusalém. O rei Nabucodonosor conquistou Jerusalém em 586 a.C., destruindo toda a cidade. O templo ficou em ruínas, e praticamente todo o povo foi levado cativo para a Babilônia. Nesse sentido, a primeira ação da profecia trata da libertação dos judeus, a fim de que eles restaurem os muros de Jerusalém e reconstruam o templo por intermédio de Neemias e Esdras. Isso aconteceu em 444 a.C., quando o rei Artaxerxes Longímano ordenou que os judeus retornassem para casa (Neemias 1.1-8). Chegava o fim do cativeiro na Babilônia.

Até que o Ungido, o príncipe, venha, haverá sete semanas. As primeiras sete semanas da profecia, ou 49 anos, englobam o tempo desde o decreto de Artaxerxes até a restauração do templo. No entanto, foi um período muito difícil para os judeus. Assim que eles voltaram para Jerusalém, houve muita resistência dos moradores que ocuparam a terra durante o cativeiro. Neemias e Esdras enfrentaram uma oposição obstinada de Sambalate, Tobias e de tantos outros que não queriam ver a Cidade Santa ser erguida novamente. Foi por isso que a restauração dos muros e do templo durou quase cinquenta anos para ser concluída.

E sessenta e duas semanas. Esse segundo período termina com a morte do Ungido. O anjo Gabriel estava revelando a Daniel que o Príncipe de Israel, Jesus Cristo, morreria precisamente após as 69 semanas. *Mas quantos anos essas semanas representavam?*

Apocalipse

O ano do calendário atual, ou ano solar, tem 365 dias e algumas horas, ao passo que o ano bíblico tem 360 dias. Mas é possível provar essa teoria na Bíblia? Sim, a conta é bem simples, e você a compreenderá perfeitamente.

Gênesis 7.11 afirma que o Dilúvio começou aos 17 dias do segundo mês. Em seguida, no capítulo 8, versículo 4, lemos que o fim do Dilúvio ocorreu 150 dias depois, aos 17 dias do sétimo mês, totalizando um período de cinco meses. Agora, se dividirmos o total de dias (150) pelo total de meses (5), o resultado será 30 dias, a duração de um mês bíblico. Para finalizar, se multiplicarmos 30 dias por 12 meses, chegaremos ao ano de 360 dias. Isso se mantém até hoje entre os judeus. Para compensar a diferença do calendário oficial, os rabinos fazem um ajuste a cada 19 anos. Portanto, o anjo Gabriel estava considerando, em sua profecia, que um ano contivesse 360 dias.

O relato da tribulação, tanto em Daniel quanto em Apocalipse, também define o ano com 360 dias. O texto de Daniel 9.24-27 afirma que o "governante que virá", ou o anticristo (v. 26), perseguirá os judeus por um tempo, dois tempos e metade de um tempo (três anos e meio), no meio da última semana de Daniel. Os textos de Apocalipse 2.4-7 e 13.5 corroboram que a perseguição ao povo judeu causada pelo anticristo durará 42 meses, ou três anos e meio. Para concluir, Apocalipse 12.6 define que esse mesmo período será de 1.260 dias (três anos e meio). Assim, fica mais que provado que o ano bíblico se estende por 360 dias.

Agora, sim, podemos fazer as contas e entender a divisão das 70 semanas de Daniel.

Sete semanas equivalem a 49 anos. Sessenta e duas semanas, a 434 anos. A última semana representa a tribulação,

A maior profecia do mundo

mais 7 anos. A partir do momento em que foi assinado o decreto que concedeu a libertação dos judeus do cativeiro na Babilônia (em 440 a.C.) até a morte de Jesus (em 33 d.C.), passaram-se 69 semanas ou 483 anos. Se multiplicarmos 483 anos por 360 (ano bíblico), teremos 173.880 dias.

Mais impressionante é que o mesmo número também foi alcançado pelo brilhante acadêmico britânico *sir* Robert Anderson, no início do século XX. Ele multiplicou 476 anos (de 444 a.C. até 33 d.C.) por 365 dias (ano oficial), chegando a 173.740 dias. Em seguida, somou todos os anos bissextos daquele período, 116, e acrescentou mais 24 dias para compensar as horas a mais do ano solar. O resultado foi 173.880 dias. Deus é perfeito!

Literalmente, o anjo Gabriel revelou a data em que Jesus seria crucificado. De acordo com pesquisas históricas, Jesus entrou em Jerusalém no dia 6 de abril do ano 33 da era cristã, no Domingo de Ramos, e foi aclamado pela multidão que ia adiante dele: "Hosana ao Filho de Davi! Bendito é o que vem em nome do Senhor! Hosana nas alturas!" (Mateus 21.9). Alguns dias depois, na quinta-feira, Jesus morreu na cruz exatamente 173.880 dias após o início das 70 semanas de Daniel.

Observe que não incluímos nessa conta os últimos sete anos da profecia. De fato, a última semana não segue logo após as 69 semanas. Isso acontece porque há um hiato temporal antes do início da última semana, o que considera-ramos o período da Igreja na terra. Portanto, a profecia do anjo Gabriel foi designada somente para os judeus e para Jeru-salém, não para os gentios. Você sabe o que isso significa? *A Igreja não passará pela tribulação!*

Você pode perguntar: Há respaldo bíblico para tal afir-mação? Analisando os demais versículos da profecia, podemos chegar a uma conclusão precisa.

Apocalipse

A cidade e o Lugar Santo serão destruídos pelo povo do governante que virá. A história retrata que Jerusalém foi destruída pelo general romano Tito, em 70 d.C. Conforme o relato histórico, é muito provável que o "governante que virá" (v. 26) — o anticristo — tenha sua origem no Império Romano. Seria como se o anjo Gabriel estivesse afirmando que o mesmo império que destruísse o santuário e a cidade teria um representante nos últimos dias contra o povo de Israel. Portanto, se os romanos destruíram Jerusalém, o anticristo virá dessa mesma linhagem. Isso não significa que ele venha necessariamente da Itália, pois o Império Romano era muito mais extenso na época em que Jerusalém foi destruída.

O fim virá como uma inundação. O anjo está se referindo à destruição do templo em Jerusalém. Realmente, as tropas do imperador Tito derramaram tanto sangue que aquele evento só poderia ser comparado a um dilúvio.

Guerras continuarão até o fim, e desolações foram decretadas. Trata-se do período em que estamos vivendo, do intervalo entre a 69ª e a 70ª semanas. Já muitas guerras surgiram após a morte de Cristo. Entretanto, nos dias de hoje, para onde quer que olhemos, há conflitos e guerras de todos os tipos. Esse é um sinal de que está se aproximando o início da última semana de Daniel. E, conforme o relato bíblico, há muita semelhança entre o fim dos dias e as dores de parto. Aos nove meses de gravidez, a gestante começa a sentir pequenas contrações, que provocam dores leves. Conforme o intervalo entre as contrações diminui, aumentam as dores... Até que se tornam tão intensas que não é possível interromper o processo natural do parto; o bebê nasce. Assim será no início da última semana. E estamos perto, muito perto.

Portanto, vimos que as primeiras sete semanas estavam relacionadas à reconstrução do templo em Jerusalém, após o fim do cativeiro da Babilônia. As outras 62 semanas se completam com a morte de Jesus, o Ungido. Em seguida, há o período da Igreja, que vivemos hoje. Por fim, teremos a última semana (sete anos). E é possível saber exatamente quando ela começará. A chave está no versículo 27 de Daniel 9:

> "Com muitos ele fará uma aliança que durará uma semana. No meio da semana ele dará fim ao sacrifício e à oferta. E numa ala do templo será colocado o sacrilégio terrível, até que chegue sobre ele o fim que lhe está decretado".

O "governante que virá", que é o anticristo, proporá uma firme aliança, que pode significar uma imposição por meio da força. Envolverá as três maiores religiões monoteístas do mundo, mas não me parece que será uma aliança como resultado de diálogo. As pessoas serão impelidas a aceitar esse "tratado de paz", que se estenderá por sete anos, ou a última semana de Daniel. Depois de três anos e meio, o anticristo "dará fim ao sacrifício e à oferta". É exatamente nesse momento em que haverá o início da grande tribulação. A tribulação começará com o acordo de paz; a grande tribulação, com o fim do sacrifício no terceiro templo em Jerusalém.

O anticristo será aquele que fará toda a articulação política para que o acordo de paz seja aceito pelas lideranças mundiais, tanto políticas quanto religiosas. Quando essa aliança for anunciada pela mídia global, aqueles que ainda não se converteram a Cristo aceitarão a proposta naturalmente como se fosse o melhor para todos. Mas os cristãos verdadeiros, que conhecem a Palavra, dobrarão os joelhos na mesma hora, pois sabem que

Apocalipse

o arrebatamento está a ponto de se concretizar; a qualquer momento, o Senhor voltará para resgatar a sua noiva. É importante entender que não se trata de qualquer aliança. O "acordo" profetizado pelo anjo Gabriel se refere exatamente a um período de sete anos. *E qual será a exigência de Israel para fazer parte dessa aliança?* O direito de construir o terceiro templo.

Muitos consideram que isso não será possível porque o templo original tinha seus alicerces onde foi erguido o Domo da Rocha, na área da cidade antiga em Jerusalém. Na verdade, o terceiro templo será construído ao lado do Domo. Sabemos disso porque, durante os rituais, quem estivesse no monte das Oliveiras dava para ver o sacerdote sacrificando a ovelha vermelha, através da Porta Dourada. Você quer saber onde será erguido o terceiro templo? Olhe do monte das Oliveiras através da Porta Dourada (que hoje está fechada); não há nenhuma mesquita naquela direção. Portanto, não haverá nenhuma restrição religiosa ou arquitetônica para a construção do templo. Nenhum templo muçulmano ou católico precisará ser derrubado.

Os judeus *querem* construir o terceiro templo; os muçulmanos palestinos *querem* ser reconhecidos como nação; e os cristãos *querem* poder visitar a Terra Santa sem restrições. Resultado: o anticristo concederá a cada grupo o que deseja para que o acordo seja aceito por todos. Todavia, na metade do período de sete anos, o anticristo romperá com o acordo e fará algo que será visto pelos judeus como "sacrilégio terrível" ou atitude inaceitável.

Em Mateus, Jesus faz uma referência a como o anticristo quebrará a aliança: "Assim, quando vocês virem 'o sacrilégio

A maior profecia do mundo

terrível", do qual falou o profeta Daniel, no Lugar Santo — quem lê, entenda" (24.15). Por que Jesus disse "quem lê, entenda"? Porque algo semelhante já havia acontecido. O historiador Flávio Josefo, contemporâneo dos apóstolos, afirmou que um rei grego da dinastia selêucida, Antíoco IV Epifânio, profanou o templo em Jerusalém ao introduzir uma estátua de Zeus no santuário e ao sacrificar uma porca (animal considerado impuro) no Santo dos Santos.

Seu propósito era exterminar a religião judaica. Por esse motivo, alguns judeus indignados com a situação se rebelaram contra o Império Grego, o que resultou na Revolta dos Macabeus. Esses homens, cheios de unção e vontade de lutar pela santidade de Deus, expulsaram Antíoco Epifânio de Jerusalém. Para celebrar essa vitória notável, os macabeus purificaram o templo, a fim de dedicá-lo novamente ao Senhor, removendo todos os vestígios do paganismo; construíram um novo altar e celebraram a dedicação do templo por oito dias. Segundo relatos, o óleo colocado na menorá foi se multiplicando sobrenaturalmente. Desse modo, teve origem a Hanucá, ou Festa das Luzes, que também foi celebrada por Jesus anos depois (cf. João 10.22,23).

Portanto, Jesus estava dizendo a seus discípulos que o que Antíoco Epifânio havia feito contra o templo em Jerusalém se repetirá com o anticristo no fim dos tempos.

Creio que, logo após o acordo de paz, o terceiro templo começará a ser construído. E, a meu ver, a inauguração será exatamente depois de três anos e meio, ou seja, no meio da tribulação. O anticristo entrará no Santo dos Santos e se autodeclarará Messias. Aqueles que tiverem lucidez deixarão de aceitar a liderança do anticristo. E assim o tratado de paz será rompido.

Apocalipse

A partir desse momento, o anticristo iniciará uma perseguição implacável contra os judeus. Foi por isso que Jesus disse:

> "então, os que estiverem na Judeia fujam para os montes. Quem estiver no telhado de sua casa não desça para tirar dela coisa alguma. Quem estiver no campo não volte para pegar seu manto. Como serão terríveis aqueles dias para as grávidas e para as que estiverem amamentando! Orem para que a fuga de vocês não aconteça no inverno nem no sábado. Porque haverá então grande tribulação, como nunca houve desde o princípio do mundo até agora, nem jamais haverá" (Mateus 24.16-21).

Assim terá início a grande tribulação; serão três anos e meio de destruição e morte.

No final da grande tribulação, os judeus verão um sinal no céu, as mãos de Jesus: "Se alguém lhe perguntar: 'Que feridas são estas no seu corpo?', ele responderá: 'Fui ferido na casa de meus amigos' " (Zacarias 13.6). Naquele momento, o povo judeu reconhecerá Jesus como o Messias. Jesus descerá dos céus e vencerá a batalha do Armagedom. Todos os inimigos de Israel serão derrotados!

Portanto, as 70 semanas de Daniel dizem respeito a Israel, não à Igreja. Todos os elementos da profecia se referem apenas aos judeus; os cristãos não fazem parte dela. Para confirmar isso, analisaremos algumas poucas evidências bíblicas aqui, pois voltaremos a este tema mais adiante.

Primeiro, a profecia do anjo Gabriel deixa bem claro que as 70 semanas são destinadas ao povo de Daniel, ou seja, Israel. Portanto, trata-se de como Deus determinou disciplinar seu povo.

Segundo, 1Tessalonicenses 4 é o texto do Novo Testamento que melhor define o arrebatamento. Somente os mortos em Cristo e os crentes que estiverem vivos naquela ocasião se encontrarão com Cristo nos ares; será um evento somente para os salvos. Em Mateus 24, Jesus afirma que todo olho verá a manifestação de sua vinda visível no final da tribulação: "Porque assim como o relâmpago sai do Oriente e se mostra no Ocidente, assim será a vinda do Filho do homem" (Mateus 24.27). Portanto, ele não estava descrevendo o arrebatamento.

Terceiro, outra evidência está em Apocalipse 4, quando João disse:

> "Depois dessas coisas olhei, e diante de mim estava uma porta aberta no céu. A voz que eu tinha ouvido no princípio, falando comigo como trombeta, disse: 'Suba para cá, e mostrarei a você o que deve acontecer depois dessas coisas' " (4.1).

Se Paulo afirmou que o arrebatamento viria ao som da trombeta, então podemos concluir que João foi chamado ao céu no momento em que a Igreja foi levada por Jesus. E não é por acaso que nos capítulos 4—22 de Apocalipse a palavra "igreja" não aparece nenhuma vez. Ora, não aparece porque os salvos já estarão ao lado de Jesus na glória.

O arrebatamento será um evento global extraordinário sem precedentes na História. O desaparecimento de milhões de pessoas deixará a sociedade perplexa. Todavia, muitas pessoas que hoje se dizem "cristãs" não subirão. Aqueles que estiverem vivendo em pecado, ou desprezando a vontade de Deus, ou distorcendo os princípios bíblicos, terão de passar pela tribulação. E o que acontecerá com eles? Receberão uma nova chance de se converter de verdade durante a tribulação.

Apocalipse

Durante a tribulação, duas testemunhas pregarão o evangelho às nações. Uma delas certamente será o profeta Elias. Até hoje, quando celebram a Páscoa, os judeus guardam um lugar à mesa para *Yahuh*, ou seja, Elias. E isso se deve ao fato de os judeus crerem que Elias será quem anunciará a vinda do Messias. O arrebatamento será como o ladrão que vem à noite (cf. Mateus 24.43), repentinamente, sem que ninguém o perceba. A segunda vinda, no entanto, será plenamente visível a todos os que estiverem aqui no final dos sete anos de tribulação.

No que se refere à segunda testemunha, não há consenso nos bastidores teológicos. Alguns afirmam que será Moisés; outros, Enoque. Até o apóstolo João é citado, pois haveria evidência bíblica de que ele não teria experimentado a morte. Seria interessante: um profeta do Antigo Testamento e outro do Novo Testamento. O fato é que as duas testemunhas pregarão na tribulação ao lado de 144 mil judeus (cf. Apocalipse 7.4-8). Aqui encontramos mais uma firme evidência de que a Igreja será arrebatada antes da tribulação. Se a Igreja estivesse na tribulação, certamente os cristãos estariam pregando ao lado das duas testemunhas e dos 144 mil.

Esses 144 mil são judeus das 12 tribos de Israel, que pregarão que Jesus é o Messias durante a grande tribulação. Fica evidente que essa proclamação não será feita pela Igreja, e sim por judeus. Essa conclusão é clara pelo fato de que, se a Igreja não está cumprindo a missão de pregar o evangelho ao mundo, ela não está mais presente. Aliás, entre os capítulos 4 e 22 de Apocalipse não há nenhuma menção de que a pregação do evangelho será feita por algum gentio, apenas por judeus.

A evidência determinante de que a Igreja não passará pela tribulação está nos capítulos de Apocalipse que citam as sete igrejas da Ásia. Essas igrejas locais não apenas existiam

A maior profecia do mundo

naquela época, como também representam as igrejas de todos os tempos. Quando a carta à igreja de Filadélfia foi escrita, Jesus fez uma promessa aos cristãos, especialmente àqueles que estariam no fim dos tempos. Ele disse:

> "Visto que você guardou a minha palavra de exortação à perseverança, eu também o guardarei *da hora* da provação que está para vir sobre todo o mundo, para pôr à prova os que habitam na terra" (Apocalipse 3.10).

"Guardar *na* hora" significaria retirar os cristãos durante a tribulação. Mas "guardar *da* hora", como Jesus prometeu, significa não permitir que os cristãos participem da tribulação. João usou a preposição grega *ex*, que significa *para fora*. Essa preposição originou muitas palavras iniciadas com "ex", como *êxodo*, que significa saída. Portanto, Jesus prometeu à igreja de Filadélfia — que representa todos os crentes fiéis — que a guardaria *da hora* da provação.

O apóstolo Paulo inicia o capítulo 5 de 1Tessalonicenses descrevendo o "dia do Senhor", uma expressão usada em todo o Antigo Testamento como o "dia do juízo". Mas por que Paulo detalha o dia do Senhor exatamente nesse capítulo? Porque o arrebatamento da Igreja já havia sido comentado no capítulo 4. A linha dos fatos estava perfeita na mente de Paulo. Primeiro, a Igreja sobe; logo em seguida, começa o tempo de juízo sobre a terra, ou seja, a tribulação.

Paulo continua: "Quando disserem: 'Paz e segurança', a destruição virá sobre eles de repente, como as dores de parto à mulher grávida; e de modo nenhum escaparão" (v. 3). A tribulação será um período de guerra no mundo inteiro. O arrebatamento, porém, virá em tempo de relativa paz. De fato,

Apocalipse

vivemos hoje com guerras por todos os lados; no entanto, de uma perspectiva macro, o mundo está em paz.

Paulo conclui sua percepção sobre o arrebatamento da Igreja antes da tribulação, ao dizer:

> Mas vocês, irmãos, não estão nas trevas, para que esse dia os surpreenda como ladrão. Vocês todos são filhos da luz, filhos do dia. Não somos da noite nem das trevas (5.4,5).

Os cristãos verdadeiros — os filhos da luz — não estão espiritualmente dormindo, por isso não serão surpreendidos pelo arrebatamento; estarão prontos para o resgate da Igreja, simplesmente "Porque Deus não nos destinou para a ira, mas para recebermos a salvação por meio de nosso Senhor Jesus Cristo" (5.9).

As pessoas que se mantêm distantes de Deus não fazem a menor ideia do que seja o arrebatamento. Para elas, a promessa de Jesus de se encontrar com os cristãos nos céus parece muito mais uma descrição surreal. Mesmo que a incredulidade domine o cenário social em que vivemos, a Igreja será levada por Jesus. Logo depois, começará o dia do Senhor, ou seja, um período de 7 anos em que o juízo divino será derramado sobre toda a terra.

É provável que o arrebatamento seja o evento que justificará um tratado de paz que envolva as três principais religiões monoteístas. Todos estarão desesperados com o desaparecimento súbito de milhões de pessoas ao redor do mundo. O caos político-social será iminente. Haverá troca de acusações entre os líderes, tanto políticos quanto religiosos, a ponto de conjecturarem uma guerra mundial. Para evitar a anarquia global, um líder político extremamente cativante proporá um acordo de paz de sete anos, até que tudo se normalize.

Entretanto, no meio do acordo — três anos e meio —, aquela suposta paz será desfeita, pois esse líder, que é o anticristo, no Lugar Santíssimo do terceiro templo então recém-inaugurado fará aquilo que os judeus considerarão como "o sacrilégio terrível". Com a aliança rompida, o anticristo incitará uma perseguição implacável contra os judeus, como nunca houve. Muitos perderão a vida, mas também muitos serão preservados pelo poder de Deus. No final dos setes anos da grande tribulação, Israel será cercado pelas nações aliadas do anticristo para a batalha do Armagedom, no vale de Jezreel. Quando esses exércitos estiverem prestes a eliminar Israel, Jesus virá dos céus e, em um instante, vencerá todos os inimigos de seu povo.

A tribulação está reservada para aqueles que vivem em trevas, sem Cristo; por isso, serão surpreendidos pelo dia do Senhor, que virá como o ladrão à noite.

Contrastes entre o arrebatamento e a segunda vinda

Algumas diferenças entre o arrebatamento e a segunda vinda podem nos esclarecer quanto aos fatos sobre o fim dos tempos.

O *arrebatamento* será somente para os salvos em Cristo; a *segunda vinda* será para todos, perdidos e salvos.

O *arrebatamento* acontecerá em tempos de paz; a *segunda vinda* acontecerá no final da grande tribulação.

O *arrebatamento* dará início ao dia do Senhor; a *segunda vinda* ocorrerá dentro do dia do Senhor.

O *arrebatamento* salvará os cristãos da ira divina; a *segunda vinda* julgará todos os que desprezam o Senhor.

O *arrebatamento* nos livrará da hora da tribulação; a *segunda vinda* livrará os judeus e os cristãos fiéis na hora da tribulação.

Apocalipse

Portanto, não se sinta ameaçado pela tribulação. Se Jesus é o Senhor da sua vida, e você vive para ele, então você faz parte da Igreja, não importa a sua denominação religiosa. Atualmente, muitos são os judeus que se convertem a Jesus. Eles já receberam o Messias, por isso não entrarão na grande tribulação; serão salvos como todos aqueles que pertencem à Igreja.

A Igreja, portanto, é a noiva de Cristo. Por isso não faz sentido imaginar o Noivo dizendo: "Minha querida noiva, eu amo muito você, mas permitirei que seja tentada". Não. Durante a grande tribulação terrena, nos céus terá lugar as bodas do Cordeiro. Será um tempo de festa e de alegria! O Cordeiro e a noiva finalmente juntos para sempre!

Sabe quanto tempo durava a festa de um casamento judaico? Sete dias. Coincidência? Não. É Deus determinando o fim dos tempos com precisão absoluta.

Quando Jesus vier no final dos sete anos de tribulação para lutar contra o anticristo em favor do povo de Israel, os exércitos dos céus estarão com ele, incluindo você e eu. Voltaremos na segunda vinda de Cristo para lutar contra Satanás e seus demônios.

Jesus virá nas nuvens, invisível somente para os salvos, a fim de guardá-los da hora da grande tribulação. Os salvos não o verão, pois, segundo 1Tessalonicenses 4, o encontro de Jesus com a Igreja será nos ares, sem menção de que alguém o presenciará. Na segunda vinda, Jesus virá de maneira visível como um relâmpago e todos poderão contemplá-lo, conforme o relato de Mateus 24. É assim que se cumprirá a maior profecia deste mundo.

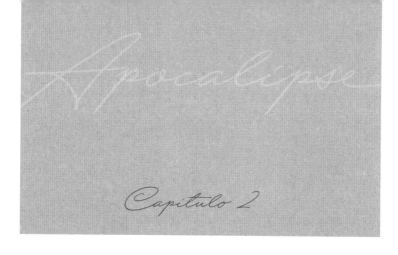

O crescimento exponencial da tecnologia

Depois que o livro de Apocalipse se tornou conhecido, a Igreja ao longo dos séculos acreditou ser parte da geração que passaria pelo arrebatamento. Mas, ao analisar os textos bíblicos que descrevem o fim dos tempos, percebemos claramente que as principais profecias escatológicas só podem se cumprir numa sociedade globalizada, o que se tornou possível somente na época moderna em que vivemos. Por exemplo, Apocalipse 11.9,10 retrata o momento em que as duas testemunhas serão mortas em praça pública e...

> Durante três dias e meio, gente de todos os povos, tribos, línguas e nações contemplarão os seus cadáveres e não permitirão que sejam sepultados. Os habitantes da terra se alegrarão por causa deles e festejarão, enviando presentes uns aos outros, pois esses dois profetas haviam atormentado os que habitam na terra.

Apocalipse

Se a tribulação prevista em Apocalipse será para o mundo inteiro, como as pessoas dos primeiros séculos saberiam o que teria acontecido com as duas testemunhas? Há poucas décadas, todos se comunicavam por meio de cartas que levavam semanas para chegar ao destinatário. Mas hoje em dia tudo mudou e as comunicações são mais do que rápidas. A comunicação vagarosa e obsoleta deu lugar a um simples clique. Nem mesmo a televisão será necessária para que as duas testemunhas sejam vistas; muito provavelmente, será pelo celular. As notícias aparecem no celular antes mesmo de serem editadas nos jornais *on-line*, além de serem compartilhadas com exaustão pelas redes sociais. Portanto, a profecia de Apocalipse somente faz sentido a partir dos dias de hoje.

Não houve uma geração antes da nossa que cumprisse os requisitos de Apocalipse. Estamos vivendo o tempo do fim de todas as coisas; somos a geração dos últimos dias. Ainda que faltem algumas décadas, o Apocalipse está na iminência de ser cumprido na terra.

O crescimento exponencial da tecnologia constitui um dos fatores que mais sinalizam a proximidade do Apocalipse. Tanto é assim que a tecnologia tem mudado o nosso estilo de vida permanentemente. Você consegue se lembrar da sua vida sem celular? E sem a internet? Até aqueles que, por causa da idade, já viveram sem tecnologia, hoje em dia têm certa dificuldade de dizer que não precisam dela. Em geral, eles podem se esquecer de qualquer coisa, menos do celular.

A vida tornou-se praticamente impensável sem tecnologia. As crianças que nascem nesta época já são consideradas pelos analistas sociais como "nativas digitais", pois estarão tão conectadas às inovações tecnológicas que não haverá outra realidade.

O crescimento exponencial da tecnologia

Como a Bíblia se expressa em relação ao avanço tecnológico nos dias atuais? A modernidade que experimentamos hoje foi profetizada? Que conexão há entre tecnologia e Apocalipse? A visão do anjo Gabriel sobre o fim dos tempos ocorreu no século VI a.C. Acontecimentos com os quais Daniel nem sonhava foram descortinados diante de seus olhos. A mesma coisa aconteceu com o apóstolo João quando recebeu a revelação do Apocalipse. Ao descrever os eventos do Apocalipse, João tentou associá-los a condições que ele conhecia. Por exemplo, em Apocalipse 9.7, João disse que "Os gafanhotos pareciam cavalos preparados para a batalha. Tinham sobre a cabeça algo como coroas de ouro, e o rosto deles parecia rosto humano". Provavelmente, João estivesse vendo tanques de combate e helicópteros. Em outras palavras, ele observava coisas que não tinham uma referência equivalente em sua época. É por isso que as profecias de Apocalipse são para os dias de hoje.

A visão e a profecia de Daniel 9, segundo o anjo, deveriam ser "seladas" (cf. 12.9), pois o cumprimento não seria para aquele tempo. No capítulo 12 também o anjo afirma quanto a tecnologia influenciaria o fim dos tempos:

> "Mas você, Daniel, feche com um selo as palavras do livro até o tempo do fim. Muitos irão por todo lado em busca de maior conhecimento" (v. 4).

Os últimos dias da humanidade serão de muita velocidade. Hoje, cruzamos os oceanos em algumas horas; antes, essa empreitada durava meses. Hoje em dia, comunicamo-nos instantaneamente com pessoas do outro lado do mundo por meio da internet; antes, uma carta levava semanas para chegar ao destinatário; até para dar um simples telefonema

Apocalipse

dependíamos da telefonista. Especialistas dizem que o desenvolvimento do conhecimento humano está crescendo em uma velocidade inacreditável: dobra a cada três anos! Eles acreditam que as mudanças que virão nos próximos cinco anos poderão ser equivalentes às ocorridas nos últimos 50 anos. Já estamos vivendo os dias profetizados em Apocalipse.

Nas minhas férias, enquanto eu pesquisava e estudava determinados temas bíblicos, descobri na internet a Singularity University.[1] Depois de assistir a vários vídeos e ler diversos livros sobre os temas pesquisados na Singularity, fiquei maravilhado. Os especialistas desse grupo se concentram em definir e descrever com detalhes as infinitas possibilidades tecnológicas para o futuro próximo. O crescimento exponencial da tecnologia já é uma realidade.

Para analisar melhor esse crescimento, precisamos fazer algumas comparações. Você se lembra da Kodak? Parece um mito, mas houve um tempo em que precisávamos revelar as fotos tiradas na nossa máquina fotográfica. Além disso, a Kodak era a principal fornecedora mundial de filmes para fotografia. Em 1996, a Kodak valia 28 bilhões de dólares e possuía 140 mil colaboradores. Mas, em 2012, o número de funcionários caiu para 17 mil. Em seguida, ela quebrou. A grande ironia é que, antes de falir, a Kodak havia descoberto a foto digital, mas não chegou a desenvolver o projeto; ou seja, não acompanhou a tecnologia. No mesmo ano, o Instagram foi comprado por 1,6 bilhão de dólares. Sabe com quantos funcionários? Três. Esse é o futuro.

Até as máquinas digitais de fotografia desapareceram do mercado. Hoje fazemos tudo com o celular, inclusive tirar

[1] <https://su.org/>

fotos em alta resolução. Para que comprar filmes e revelar fotos se o celular me proporciona tudo isso de graça?

Outro crescimento exponencial aconteceu com o HD (*hard drive*) em que são armazenados os dados e as informações do computador. Em 1956, um HD de apenas 5 megabytes custava 120 mil dólares, e era da altura de um ser humano. Em 2000, um HD cabia na ponta do dedo, com capacidade para armazenar 128 megabytes a um preço de 100 dólares. Em 2015, o mesmo HD tinha 128 gigabytes, portanto com capacidade 25 mil vezes maior do que o HD de 1956, custando também 100 dólares. Esse é o reflexo da multiplicação da ciência.

A internet parece outro mito, mas há não muito tempo a conexão com a internet era discada. Lembra? Como era lenta! Depois, veio a conexão DSL (*Digital Subscriber Line*) que transmitia digitalmente os dados através de linhas telefônicas normais, permitindo velocidades muito maiores de transferência de dados. Em seguida, surgiu o *modem* a cabo, a fibra ótica... Hoje, é possível ter internet de 200 gigabytes. O mundo está avançando em uma velocidade fantástica. Os celulares passaram a fazer chamadas por 3G; depois, 4G; daqui a pouco será 5G. E não vai parar por aí!

Talvez você me pergunte: "Mas o que o crescimento exponencial da tecnologia tem a ver com o Apocalipse?".

A economia é um dos setores da sociedade que está sendo afetado de forma intensa pelo crescimento tecnológico, principalmente com relação ao tempo de vida das empresas. De acordo com pesquisas do economista Richard Foster, da Universidade de Yale, nos anos 1920, o tempo de vida médio de uma empresa eram 67 anos. O empresário começava um negócio, trabalhava de sol a sol, para crescer um pouco a cada ano.

Apocalipse

Só depois de muitos anos, os mais competentes se tornavam milionários, se a sorte estivesse a seu lado. Sabe quanto tempo duram as empresas atuais? Apenas 15 anos. E a previsão é de que em 10 anos 40% das 500 maiores companhias do mundo — listadas pela revista *Forbes* — deixarão de existir. O crescimento exponencial também afetou o tempo para alguém enriquecer. Antes, a riqueza só vinha após muitos e muitos anos de trabalho árduo. Hoje, um jovem vestido de calça *jeans* rasgada, com menos de 30 anos, tem uma ideia... Meses depois, essa ideia pode fazer dele um bilionário. Em 2017, Mark Zuckerberg, o fundador do Facebook, era o quarto homem mais rico do mundo. Os fundadores da Uber, Travis Kalanick e Garrett Camp, não tinham dinheiro para comprar um carro no momento em que desenvolveram o aplicativo. Cinco meses depois, tornaram-se bilionários.

Ideias bilionárias estão afetando a economia. Com isso, surgem consequências irreversíveis, que mudam o rumo da sociedade. Com a Uber, metade da frota de táxis do mundo está inativa. Quem não se adapta à velocidade tecnológica, fica logo obsoleto. É o tempo do fim.

A revista *Forteam* apresentou uma matéria cujo título citava os gêmeos do Facebook, Cameron e Tyler Winklevoss. Eles entraram em uma batalha jurídica contra Mark Zuckerberg, que supostamente havia roubado a ideia deles. Houve um acordo judicial, e com isso os gêmeos embolsaram 11 milhões de dólares. Ambos investiram tudo em *bitcoin*, uma moeda criptografada, que só existe na internet. Hoje, Cameron e Tyler conquistaram 1 bilhão de dólares. Após 18 meses de lançamento, a *startup* YouTube foi vendida para o Google por 1,6 bilhão de dólares. A tecnologia tem permitido que ideias

O crescimento exponencial da tecnologia

bilionárias surjam da noite para o dia. Por esse motivo, as pessoas têm corrido de um lado para o outro, desesperadas à procura da próxima ideia revolucionária.

Esse avanço tecnológico acelerado — que gera riquezas em pouquíssimo tempo — não está acontecendo por acaso. Foi profetizado na Bíblia como fator preponderante para o início do fim dos tempos.

A Amazon — uma empresa transnacional de comércio eletrônico — está substituindo as livrarias convencionais. Os livros impressos estão dando lugar aos *e-books*. Haverá um tempo em que ninguém mais comprará livro em papel. Em meu *iPad*, eu levo comigo 2.500 livros. É mais barato, posso ler em qualquer lugar, em qualquer situação. A literatura também está se rendendo à tecnologia.

Quando pequeno, eu morava em Olímpia, no interior de São Paulo. Para fazer uma ligação interurbana, precisávamos do auxílio de uma telefonista do outro lado da linha. Às vezes, demorava 24 horas até conseguir. Ter o privilégio de dar um telefonema de casa era tão raro que muitas pessoas investiam em linhas telefônicas. Elas eram muito valorizadas tanto para alugar quanto para vender. Depois da privatização e das novas tecnologias, as linhas telefônicas melhoraram substancialmente e tornaram-se comuns. Hoje, com WhatsApp, Skype, Facetime, ou algo semelhante, você não precisa pagar nenhum centavo para fazer uma ligação interurbana. É de graça. E o que aconteceu com as empresas que ganhavam rios de dinheiro com o sistema telefônico engessado? Estão quebrando. O celular substituiu o telefone fixo, convencional, a ponto de ser rara sua utilização. A maioria das empresas já disponibiliza um número de WhatsApp para se comunicar com seus clientes. A telefonia nunca mais foi a mesma depois da tecnologia.

Apocalipse

Há alguns anos, ter uma enciclopédia *Barsa* ou *Delta Larousse* em casa era sinal de conhecimento e intelectualidade... até a chegada do Google. Depois dos buscadores de internet, as enciclopédias tornaram-se obsoletas e um peso em papel que ocupava espaço demais. Dizem que, na época em que era presidente dos Estados Unidos, Bill Clinton tinha a seu dispor menos informação do que um adolescente de 16 anos tem hoje no celular.

O AirBnB (*air bed and breakfast* — colchão inflável e café da manhã) é um portal *on-line* de aluguel imobiliário temporário que substituirá em breve as redes de hotel. O Craigslist — uma rede de comunidades *on-line* centralizadas que disponibiliza anúncios gratuitos aos usuários — está desbancando jornais e revistas.

O crescimento exponencial da tecnologia está mudando as relações humanas e a maneira pela qual as pessoas vivem e ganham dinheiro. Também está facilitando o acesso ao que precisamos ou desejamos. O primeiro GPS (*Global Positioning System* — sistema de posicionamento global), lançado em 1981, custava 120 mil dólares e pesava 25 quilos. Hoje, custa 1 dólar e não pesa nada. Além do baixo custo, os GPS modernos são muito inteligentes. O Waze, por exemplo, foi além de uma aplicação para tráfego baseada em navegação por satélite. O aplicativo contém informações dos usuários e detalhes sobre rotas que facilitam muito a chegada a determinado destino com agilidade e segurança. É a tecnologia potencializando a nossa liberdade de ir e vir.

Uma vez aplicada, a tecnologia se multiplica e torna-se bem mais barata e acessível para todos. Se você estiver em um espaço público agora ou no trabalho, pare um minuto e olhe

O crescimento exponencial da tecnologia

ao seu redor. Com certeza, você verá mais pessoas com um *smartphone* nas mãos do que sem ele. Podemos dizer que a tecnologia, de certa forma, também é democrática.

Afinal, por que a tecnologia será tão importante no final dos tempos? A resposta pode ser resumida em uma única palavra: *controle*.

Enquanto eu escrevo este livro, 5 bilhões de pessoas no mundo possuem celular. Todas elas, sem dúvida, acessam o Google para fazer pesquisas, compartilham informações em redes sociais e enviam mensagens todos os dias. Para você compreender a grandeza disso, nos últimos minutos de 2017, ou seja, na passagem do ano-novo, o WhatsApp bateu o recorde de troca de mensagens: foram 75 bilhões em todo o Planeta.

Agora se prepare para o que eu vou dizer: todo o conteúdo que você envia ou recebe pela internet, bem como as pesquisas que realiza, ficam registrados detalhadamente nos servidores do Google e das redes sociais. Mesmo que você apague suas mensagens ou pesquisas, cada letra, palavra e frase são guardadas a sete chaves. Para resumir: o Google e as redes sociais sabem tudo sobre você! Seus gostos, suas preferências, suas ideologias, tudo! Estamos sendo controlados, embora a maior parte de nós não se dê conta disso.

Durante um teste, uma pessoa passou um dia inteiro com dois celulares. Um deles tinha ativado o sistema de GPS; o segundo, não. Os dois celulares registraram todo o caminho que a pessoa havia feito, e surpreendentemente o que estava desligado apresentou mais detalhes. O Google está usando uma tecnologia no Android que permite armazenar dados de localização mesmo com o GPS desligado. Está chegando o dia em que "privacidade" será apenas mais uma palavra

Apocalipse

no dicionário. Você será localizado onde estiver. Hoje, essa tecnologia, o celular, está nas suas mãos; mas, no futuro, estará dentro de você.

Aqui, chegamos ao ponto-chave deste capítulo. A Bíblia afirma que o anticristo tentará exercer controle sobre as pessoas. E o nível tecnológico avançado será fundamental para que isso aconteça.

Em primeiro lugar, a tecnologia será usada para *unificar a mentalidade social*. Antigamente, a nacionalidade, a língua e os costumes formavam uma barreira quase intransponível entre as diferentes sociedades. Hoje, adolescentes japoneses, brasileiros, americanos e venezuelanos cantam e dançam as mesmas músicas, falam a mesma linguagem das redes sociais e usam as mesmas roupas da moda.

Estamos falando da preparação do caminho para o anticristo. Ele unificará a religião, a política e a sociedade por meio de uma mentalidade imposta pela tecnologia. No começo, as pessoas rejeitavam essas mudanças, mas agora as aceitam com naturalidade. Muitos conceitos sociais consolidados, como casamento, família e espiritualidade, serão relativizados e ajustados para que se tenha um pensamento unificado e alinhado com a mente do anticristo.

Os textos seguintes comprovam a necessidade do avanço tecnológico nos últimos dias:

> Durante três dias e meio, gente de todos os povos, tribos, línguas e nações contemplarão os seus cadáveres e não permitirão que sejam sepultados. Os habitantes da terra se alegrarão por causa deles e festejarão, enviando presentes uns aos outros, pois esses dois profetas haviam atormentado os que habitam na terra (Apocalipse 11.9,10).

O crescimento exponencial da tecnologia

Como as pessoas de "todos os povos, tribos, línguas e nações contemplarão" os corpos das duas testemunhas? Só há um jeito: por meio de um celular conectado à internet.

> Também obrigou todos, pequenos e grandes, ricos e pobres, livres e escravos, a receberem certa marca na mão direita ou na testa, para que ninguém pudesse comprar nem vender, a não ser quem tivesse a marca, que é o nome da besta ou o número do seu nome. Aqui há sabedoria. Aquele que tem entendimento calcule o número da besta, pois é número de homem. Seu número é seiscentos e sessenta e seis (Apocalipse 13.16-18).

Ray Kurzweil, cientista e fundador da Singularity University, afirma que no futuro as pessoas terão um nanorrobô implantado no neocórtex, literalmente na testa. Haverá um alinhamento direto entre o cérebro humano e o nanorrobô. Segundo Kurzweil, em vinte anos, não precisaremos mais do celular para nos comunicar ou para acessar a internet. Usaremos apenas o pensamento com base nos dados informados pelo nanorrobô.

Hoje, os mais conservadores não aceitariam ter um nanorrobô implantado em seu cérebro. No entanto, até que chegue o governo mundial do anticristo, a tecnologia evoluirá de forma gradativa e positiva.

No fim dos tempos, ninguém dirá "não" a isso. Todos aceitarão naturalmente tais medidas como se fosse algo benéfico para a humanidade. Com essa tecnologia, os diagnósticos de enfermidades serão rápidos e precisos, pois os médicos (que também terão um nanorrobô implantado) poderão ter acesso mentalmente a todas as informações para definir o tratamento mais eficaz a seus pacientes. A questão é que o anticristo usará esse nanorrobô para controlar a vida de todas as pessoas.

Apocalipse

Sem exceção, as mudanças que hoje vemos são o prenúncio da preparação para um governo mundial. Em breve, o papel-moeda não será mais usado; prevalecerão as moedas criptografadas, como o *bitcoin*. Já existem lojas nos Estados Unidos que não aceitam mais dinheiro em papel; nesse caso, quem não tem cartão de crédito ou de débito não pode efetuar nenhuma compra. Quando o anticristo centralizar o governo, sua primeira ação será a unificação das moedas. Assim, o controle econômico será bem mais fácil: "para que ninguém pudesse comprar nem vender, a não ser quem tivesse a marca, que é o nome da besta ou o número do seu nome" (Apocalipse 13.17). Para viver em uma época em que somente se use a moeda virtual, as pessoas precisarão de uma interface eletrônica. Quem não tiver o dispositivo (sinal da besta) não poderá comprar nem ao menos 1 quilo de carne no supermercado, pois não haverá moeda física.

Mas não termina aí. Que condição será exigida das pessoas para receberem o nanorrobô, o sinal que lhes permitirá participar do comércio? Consentir com o novo governo mundial liderado pelo anticristo, bem como aceitar sua religião sincretista. Haverá uma tentativa de unir todas as religiões, porque o anticristo acusará os líderes religiosos de serem os responsáveis por todas as mortes ao longo dos séculos. Com o acordo de paz, somente haverá uma religião. Aqueles que acreditam que todos os caminhos levam a Deus aceitarão essa proposta. Obviamente que um cristão ou judeu que verdadeiramente serve a Deus não se submeterá a essa exigência.

A ideia de uma só religião parece absurda, mas não será no tempo em que isso ocorrer. Novos tratamentos para distúrbios psiquiátricos, como a bipolaridade, estão sendo realizados com ímãs que são sobrepostos ao cérebro.

O crescimento exponencial da tecnologia

Segundo o artigo do periódico *Social Cognitive and Affective Neuroscience*, citado pelo *site Medical News Today*, a estimulação magnética craniana reduz a fé em Deus.[2] O artigo diz:

> "desabilitar certas áreas do cérebro com a estimulação magnética craniana pode reduzir a crença em Deus. A pesquisa é resultado de uma colaboração entre pesquisadores da Universidade de York, no Reino Unido, e da Universidade da Califórnia, em Los Angeles (UCLA). A estimulação magnética craniana (TMS) é um procedimento que tem sido usado atualmente para tratar a depressão. Ela acontece quando se usa energia magnética para estimular as células neurais em áreas do cérebro que envolvem controle de humor."[3]

Em estudos mais recentes, ao testarem a técnica para avaliar se havia alteração em áreas de ideologia ou fé, perceberam que os indivíduos que passaram pelo procedimento tinham a sua fé — em Deus, nos anjos e no céu — reduzida consideravelmente. Isso acontece porque o estímulo eletromagnético altera a química cerebral e ajusta a relação entre os neurônios, tendo como consequência a diminuição da fé absoluta do indivíduo, podendo até desaparecer. Tudo o que o anticristo deseja é extinguir a fé em Deus. Se ímãs são capazes de afetar o cérebro humano dessa maneira, imagine um nanorrobô implantado no neocórtex. É por isso que a Bíblia afirma que quem tiver a marca da besta não entrará no Reino dos céus, pois será incapaz de crer para invocar o nome de Jesus.

A marca da besta será requerida de toda a humanidade, sendo aplicada ou na mão direita ou na testa, como possível

---

[2] Magnetic brain stimulation "reduces belief in God, prejudice toward immigrants". Disponível em: <www.medicalnewstoday.com/articles/301117.php>.

[3] Tradução livre.

Apocalipse

instrumento de controle social. Antes, imaginávamos que essa marca seria um *chip* que armazenaria, entre outras coisas, todas as nossas informações médicas e financeiras. Hoje, contudo, percebemos que será mais do que isso. Os dados individuais armazenados certamente trarão benefícios. Uma pessoa que sofre um atropelamento, por exemplo, poderá ser mais bem atendida pela equipe de paramédicos, que terão acesso instantâneo ao histórico de saúde do paciente. Todavia, junto com o benefício virá o controle do anticristo sobre a população.

Por que esse controle será tão importante para o governo do anticristo?

Tente imaginar o que acontecerá no mundo no momento do arrebatamento da Igreja. Milhões de pessoas desaparecerão num piscar de olhos. As aeronaves que estiverem sendo pilotadas por cristãos cairão, e muitas sobre grandes cidades. O mundo entrará em colapso. As bolsas de valores despencarão. Ocorrerão tantos acidentes que não sobrarão leitos nos hospitais para os doentes, nem haverá túmulos nos cemitérios para os mortos.

Será exatamente nessa hora que o anticristo se levantará como o líder que porá ordem no caos. Na minha opinião, ele será um secretário-geral da ONU, porque é bem provável que o gerenciamento global naquela época seja feito pelas Nações Unidas. Pois dali vêm as dez etnias representadas no império do anticristo.

Uma só moeda. Uma só religião. Um só governo. E o primeiro passo do anticristo para pôr fim ao caos mundial será propor um acordo de paz de sete anos, o início da tribulação.

O arrebatamento da Igreja e a grande tribulação

Embora todos concordem que a Igreja se encontrará com o Senhor Jesus nos ares (cf. 1 Tessalonicenses 4.17), existe considerável divergência no meio acadêmico quanto ao momento em que se dará o arrebatamento. Todavia, há razões teológicas e históricas que determinam — com confiável precisão — que a Igreja não passará pela tribulação descrita no livro de Apocalipse.

A natureza da 70ª semana — que compreende o período da grande tribulação — será o nosso ponto de partida na busca pela compreensão do arrebatamento. Tanto o Antigo Testamento quanto o Novo apresentam referências significativas sobre a tribulação. É possível entender perfeitamente por que Deus preparou esse período tão difícil que será experimentado por toda a terra, bem como o que esse tempo representa.

Apocalipse

Tempo de ira[1]

Eles gritavam às montanhas e às rochas: "Caiam sobre nós e escondam-nos da face daquele que está assentado no trono e da ira do Cordeiro! Pois chegou o grande dia da ira deles; e quem poderá suportar?". (Apocalipse 6.16,17)

Tempo de juízo

Ele disse em alta voz: "Temam a Deus e glorifiquem-no, pois chegou a hora do seu juízo. Adorem aquele que fez os céus, a terra, o mar e as fontes das águas". (Apocalipse 14.7)

Por dois mil anos, o evangelho é a pregação da boa notícia de que "Cristo morreu pelos nossos pecados" (1Coríntios 15.3), pois "o Filho do homem veio buscar e salvar o que estava perdido" (Lucas 19.10). Vivemos hoje no tempo da graça, porque pela graça somos salvos, por meio da fé; e isso não vem de nós, é dom de Deus (cf. Efésios 2.8).

Portanto, para receber a salvação, basta crer que Jesus é o único e suficiente Salvador do homem. Não é por mérito pessoal, talento ou condição espiritual; a salvação foi conquistada por Jesus no momento em que se entregou por nós, para que todos pudessem recebê-la.

Por dois mil anos, pessoas de todas as nações estão rejeitando abertamente a mensagem da cruz. Simplesmente negam a redenção que Deus nos concede pela fé. Quando Jesus arrebatar a Igreja, os que aqui ficarem receberão a justa ira por não terem crido no Filho de Deus e por todas as blasfêmias, afrontas e desatinos que tiverem cometido contra o Criador.

---

[1] Apocalipse 6.16,17; 11.18; 14.19; 15.1,7; 16.1,19; 1Tessalonicenses 1.9,10; 5.9; Sofonias 1.15,18.

Tempo de indignação

Vá, meu povo, entre em seus quartos e tranque as portas; esconda-se por um momento, até que tenha passado a ira dele. Vejam! O Senhor está saindo da sua habitação para castigar os moradores da terra por suas iniquidades. A terra mostrará o sangue derramado sobre ela; não mais encobrirá os seus mortos. (Isaías 26.20,21)

Tempo de punição

Naquele dia, o Senhor castigará os poderes em cima nos céus e os reis embaixo na terra. Eles serão arrebanhados como prisioneiros numa masmorra, trancados numa prisão e castigados depois de muitos dias. (Isaías 24.21,22)

O livro de Apocalipse deixa claro que o juízo de Deus acontecerá em diversos níveis: espiritual, natural e cosmológico. Haverá guerras por todos os lados, e a terra sofrerá consequências irreparáveis. As pessoas reclamam das dificuldades que enfrentam nos dias de hoje, mas estão prestes a deparar com situações terríveis sem precedentes provocadas pela ira do Senhor, por seu juízo e por sua indignação. A distopia será evidente no fim dos tempos.

Tempo de provação

"Visto que você guardou a minha palavra de exortação à perseverança, eu também o guardarei da hora da provação que está para vir sobre todo o mundo, para pôr à prova os que habitam na terra." (Apocalipse 3.10)

Deus determina claramente que guardará a Igreja *da hora* da tentação, ou seja, não permitirá que os cristãos verdadeiros passem pela tribulação. Como afirmei no capítulo anterior,

o apóstolo João usou a preposição grega *ex*, que significa "de dentro para fora". Na língua grega, a preposição é usada sempre para reforçar determinado conceito. João pretendia enfatizar a promessa de Jesus segundo a qual a Igreja não experimentaria "a hora da tentação que há de vir sobre todo o mundo".

Tempo de angústia

"Como será terrível aquele dia! Sem comparação! Será tempo de angústia para Jacó; mas ele será salvo. 'Naquele dia', declara o SENHOR dos Exércitos, 'quebrarei o jugo que está sobre o pescoço deles e arrebatarei as suas correntes; não mais serão escravizados pelos estrangeiros. Servirão ao SENHOR, ao seu Deus, e a Davi, seu rei, que darei a eles. Por isso, não tema, Jacó, meu servo! Não fique assustado, ó Israel!', declara o SENHOR. 'Eu o salvarei de um lugar distante, e os seus descendentes, da terra do seu exílio. Jacó voltará e ficará em paz e em segurança; ninguém o inquietará.' " (Jeremias 30.7-10)

A grande tribulação não será apenas um tempo de extrema angústia para Israel, como também o último momento em que as nações ímpias prevalecerão contra o povo de Deus. No final da tribulação, o Senhor dará a vitória definitiva a Israel contra seus inimigos. Nunca mais os judeus serão perseguidos por crerem no único Deus.

Tempo de assolação

Ah! Aquele dia! Sim, o dia do SENHOR está próximo; como destruição poderosa da parte do Todo-poderoso, ele virá. (Joel 1.15)

Tempo de trevas

É dia de trevas e de escuridão, dia de nuvens e negridão. Assim como a luz da aurora se estende pelos montes, um grande e poderoso exército se aproxima, como nunca antes se viu nem jamais se verá nas gerações futuras. (Joel 2.2)

A tribulação será o palco do último confronto entre a luz e as trevas. Será um tempo muito difícil para Israel. Contudo, não faz o menor sentido a presença da Igreja no fim dos dias, como já afirmamos. Veja a seguir outros textos bíblicos que apoiam tal argumento.

> "Eu asseguro: Quem ouve a minha palavra e crê naquele que me enviou tem a vida eterna e *não será condenado*, mas já passou da morte para a vida." (João 5.24)

As palavras de Jesus são claras como cristal. Quem nele crê, não entrará em condenação nem estará presente como réu no juízo final. Após a morte, todos os crentes comparecerão ao tribunal de Cristo (cf. 2Coríntios 5.10). Só que a palavra "tribunal" em grego representa o pódio olímpico (*bema*), onde os atletas recebiam a coroa de louros. É por isso que o apóstolo Paulo diz que somos mais do que vencedores (Romanos 8.37), pois o nosso destino é o pódio, não a condenação.

No tribunal de Cristo, receberemos uma recompensa de acordo com as obras praticadas por meio do corpo, quer sejam boas quer sejam más. Nem todos receberão o mesmo galardão, mas todos os crentes lá estarão.

Como a Igreja poderá passar pela tribulação se a promessa de Jesus nos isenta completamente do tempo de juízo? Passaremos da morte para a vida, essa é a verdade:

> Porque Deus não nos destinou para a ira, mas para recebermos a salvação por meio de nosso Senhor Jesus Cristo (1Tessalonicenses 5.9).

Apocalipse

Se a grande tribulação será um tempo de ira, não há nenhuma razão para pensar que os cristãos farão parte desse momento. Pois, como afirma Paulo, Deus não nos destinou para a ira. Paulo sabia que os cristãos da igreja em Tessalônica estavam muito preocupados com o fim dos tempos, por isso tentou confortá-los. A ira divina não virá sobre a Igreja, mas sobre todos aqueles que rejeitaram o evangelho ao longo dos séculos.

Os cristãos não passarão pelo juízo nem pela ira; as 70 semanas de Daniel não têm vínculo algum com a Igreja. As 70 semanas são, na verdade, um tratamento de Deus para que seu povo volte para sua presença. Leia novamente Apocalipse 3.10.

Quem fará parte da tribulação?

Há dois grupos de pessoas que permanecerão aqui durante a tribulação. O primeiro compreende os moradores da terra. Em grego, a palavra *oikeo* significa "morar", e possui mais duas vertentes importantes, *katoikeo* e *paraoikeo*. Embora advenham da mesma raiz etimológica, essas palavras têm traduções diferentes. Por exemplo, o morador permanente de uma residência e que já está na família por gerações é chamado de *katoikeo*. A preposição *kata* traduz a ideia de raiz profunda. O hóspede de um hotel será reconhecido como *paraoikeo*, pois se trata de alguém que permanece em um lugar de forma temporária. A expressão usada em Apocalipse 3 refere-se a *katoikeo*. Segundo a tradução adequada do texto, a grande tribulação vem para provar os que estão enraizados neste mundo. Já os cristãos fiéis, como sabemos, só estão de passagem pela terra, pois sua habitação final está nos céus.

Em outras correlações bíblicas, encontramos a mesma ligação profunda no significado da palavra *katoikeo*. Em Colossenses 2.9, lemos: "Pois em Cristo habita corporalmente toda a plenitude da divindade". A expressão "habita corporalmente" é *katoikeo*. Significa que, na pessoa de Jesus, estavam enraizados todos os atributos da divindade, ou seja, Jesus é de fato Deus. O Espírito Santo estava profundamente enraizado na forma corpórea de Cristo. *Katoikeo* também descreve a habitação permanente de Cristo no coração dos crentes, como vemos em Efésios 3.17: "para que Cristo *habite* no coração de vocês mediante a fé [...]". Em Mateus 12.45, *katoikeo* também pode descrever a atuação de demônios que voltam a atormentar a pessoa antes liberta, mas que não permaneceu no caminho da verdade:

> "Então vai e traz consigo outros sete espíritos piores do que ele, e, entrando, *passam a viver* ali. E o estado final daquele homem torna-se pior do que o primeiro. Assim acontecerá a esta geração perversa".

Tendo isso em consideração, que propósito tem a grande tribulação? Trazer juízo divino sobre aqueles que são incapazes de submeter sua vida e vontade a Jesus, porque estão profundamente enraizados (*katoikeo*) na visão deste mundo. Trata-se das pessoas que sempre desprezaram as advertências dos profetas. "Comamos e bebamos que amanhã morreremos" é a frase que resume bem o pensamento débil de tais pessoas, que em geral se deixam dominar pelo fugaz e efêmero. Quando se dão conta, a vida já passou.

Quando penso na minha própria vida, parece que foi ontem que eu estava brincando com os meus amigos de infância. Hoje, no entanto, já sou avô de dois netos lindos. Amanhã, talvez eu esteja na presença do Senhor, na glória eterna. De uma coisa

Apocalipse

tenha certeza: tenho plena consciência de que a terra não é o meu lar definitivo. Quando a trombeta de Deus soar (cf. 1Tessalonicenses 4.16), sei que me encontrarei com o meu Senhor nos ares; o meu destino é a glória, não a tribulação.

Deus nos vê em Cristo, porque somos justificados a seus olhos. Portanto, o período da tribulação não pode dizer respeito à Igreja, principalmente àqueles cuja fé é genuína. No dia do arrebatamento, quem tiver o selo do Espírito será levado pelos anjos — o encontro tão aguardado da noiva com o Noivo. O Espírito Santo é a garantia da nossa salvação, tendo-nos sido enviado como garantia do nosso resgate depois da ressurreição e ascensão de Jesus aos céus, ou seja, antes da tribulação.

> "Vejam, eu enviarei a vocês o profeta Elias antes do grande e temível dia do Senhor. Ele fará com que os corações dos pais se voltem para seus filhos, e os corações dos filhos para seus pais; do contrário, eu virei e castigarei a terra com maldição." (Malaquias 4.5,6)

O segundo grupo destinado à tribulação é Israel, conforme vimos no capítulo 1. Quando Elias vier para lhes apresentar o Messias, segundo creem os judeus mais tradicionais, isso se dará na primeira metade da tribulação, enquanto o acordo de paz proposto pelo anticristo estiver em vigor. Elias voltará para preparar o povo para a segunda vinda de Jesus. Quando o anticristo romper com o tratado de paz e se voltar ferozmente contra Israel, o coração dos judeus já estará preparado para receber o Messias como Senhor e Salvador.

Ao longo do Antigo Testamento, existem vários "tipos" de Cristo — representações proféticas do Messias em personagens bíblicas reais. José do Egito é um exemplo clássico dessa tipologia. Ele era amado pelo pai, Jacó, mas rejeitado pelos irmãos; aconteceu a mesma coisa com Jesus. José foi aclamado pelos gentios como Zafenate-Paneia, que significa "salvador do mundo".

Quando os irmãos de José, em um momento terrível de seca e fome, encontram-se com ele e o reconhecem, todos choram abraçados e se quebrantam profundamente. Naquele momento, José revela:

> "Cheguem mais perto", disse José a seus irmãos. Quando eles se aproximaram, disse-lhes: "Eu sou José, seu irmão, aquele que vocês venderam ao Egito! Agora, não se aflijam nem se recriminem por terem me vendido para cá, pois foi para salvar vidas que Deus me enviou adiante de vocês. [...] Mas Deus me enviou à frente de vocês para lhes preservar um remanescente nesta terra e para salvar-lhes a vida com grande livramento". (Gênesis 45.4,5,7)

O profeta Zacarias profetizou sobre o encontro de Jesus com os judeus no fim dos tempos: "Se alguém lhe perguntar: 'Que feridas são estas no seu corpo?', ele responderá: 'Fui ferido na casa de meus amigos' " (13.6). Eu acredito que, no final da grande tribulação, um sinal surgirá no céu, e somente os judeus poderão contemplá-lo. E, nessa visão extraordinária, eles verão as mãos transpassadas do Messias, mãos feridas pelos cravos na cruz. Haverá, então, um grande pranto em todo o Israel, e o povo invocará o verdadeiro Messias, dizendo: "*Yeshua Hamashia!*" — É o Messias!

A tribulação, portanto, tem dois propósitos bem definidos: trazer juízo sobre as pessoas que afrontaram o Deus vivo e levar o povo judeu a reconhecer Jesus como o Messias, cumprindo as promessas feitas a Paulo de que todo o Israel seria salvo.

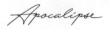

Os judeus convertidos a Jesus serão arrebatados junto com os crentes, porque eles fazem parte da Igreja, assim como Pedro, João e Paulo fizeram. Aliás, os crentes da igreja primitiva eram todos judeus. Já os que não creram passarão pela tribulação, a fim de reconhecerem o Messias.

***

Para compreender o arrebatamento antes da tribulação, precisamos ainda analisar a natureza da Igreja.

O corpo de Cristo

"Deus colocou todas as coisas debaixo de seus pés e o designou cabeça de todas as coisas para a igreja" (Efésios 1.22). Se Jesus é cabeça da Igreja, então os crentes — como o corpo — têm poder e autoridade sobre o Diabo e seus demônios (Lucas 10.19) e desse modo não passarão pela tribulação.

A noiva de Cristo

"pois o marido é o cabeça da mulher, como também Cristo é o cabeça da igreja, que é o seu corpo, do qual ele é o Salvador." (Efésios 5.23.) Que marido teria coragem de fazer a esposa sofrer na lua de mel? Então, por que Jesus (o Noivo) deixaria a Igreja (a noiva) passar pela tribulação? Um marido dedicado e fiel seria capaz de dar a vida pela esposa, assim como Cristo fez pela Igreja no Calvário.

O amor de Cristo

"Maridos, ame cada um a sua mulher, assim como Cristo amou a igreja e entregou-se por ela." (Efésios 5.25.) A Igreja estará bem longe da tribulação porque — por amor — Jesus foi julgado em seu lugar. "Portanto, agora já não há condenação para os que estão em Cristo Jesus." (Romanos 8.1.)

Os ramos da videira

"Eu sou a videira; vocês são os ramos. Se alguém permanecer em mim e eu nele, esse dará muito fruto; pois sem mim vocês não podem fazer coisa alguma." (João 15.5.) Jesus também diz que, se alguém não estiver unido à videira, será cortado e lançado no fogo (cf. v. 6). Quais os ramos que estão ligados à videira? Os cristãos verdadeiros. E quais os ramos que não estão ligados à videira? Todos aqueles que rejeitaram o evangelho — que terão de enfrentar os terríveis dias da tribulação. Durante a tribulação, a Igreja estará desfrutando as bodas do Cordeiro, com delícias eternas ao lado do Rei dos reis.

O edifício de Cristo

"Pois nós somos cooperadores de Deus; vocês são lavoura de Deus e edifício de Deus." (1Coríntios 3.9.) A Igreja é o edifício que tem Cristo como a pedra fundamental, o que nos faz ser edificados sobre a Rocha. Então, onde Jesus estiver, nós também estaremos. Durante a grande tribulação, Jesus estará no céu ordenando cada momento do fim dos dias, e nós estaremos a seu lado. O livro de Apocalipse nos faz perceber que os salvos estarão observando os moradores da terra recebendo o juízo divino. Pois a Bíblia diz que, "Quando ele abriu o sétimo selo, houve silêncio nos céus cerca de meia hora" (Apocalipse 8.1). Haverá silêncio no céu porque todos os salvos ali estarão impactados com as tragédias que marcam o fim dos tempos.

Apocalipse

Você e eu, como crentes, estamos unidos a Cristo para sempre, mesmo durante a tribulação. O propósito das 70 semanas envolvia somente o povo de Israel e a cidade santa, Jerusalém. As 69 semanas começaram com a ordem de Artaxerxes Longímano, a fim de que o povo de Israel voltasse livre para Jerusalém, e terminaram com a morte do Messias. Antes de a última semana iniciar, há um hiato temporal em que guerras e outras adversidades perpassariam a terra, como afirmou o anjo Gabriel.

A última semana (sete anos) começará com a assinatura de um tratado de paz proposto pelo anticristo. Nos primeiros três anos e meio, o mundo desfrutará uma paz fictícia, apenas para controle social. Mas, na metade da última semana (três anos e meio), virá um tempo de grande juízo sobre toda a terra não só para provar aqueles que escolheram estar enraizados na visão pagã deste mundo, como também para salvar a nação de Israel, que finalmente reconhecerá Jesus como o Messias. É bem provável que isso aconteça no vale de Jezreel (Armagedom), onde estarão acampados — como veremos adiante — 200 milhões de soldados, inimigos de Israel. No tempo em que João escreveu o Apocalipse, não havia 200 milhões de pessoas no Planeta. Mas hoje esse número não significa praticamente nada, comparado aos exércitos das nações.

Somente a população da China gira em torno de 1 bilhão e meio de pessoas. No entanto, há 400 milhões de chineses que não têm nenhum registro civil; que são os segundos e terceiros filhos que nasceram em uma época em que o governo proibia ter mais de um filho. Trata-se de milhões de pessoas que moram no interior do país, vivendo de favor e subnutridos. Dois anos antes da publicação desta obra, o governo chinês permitiu que eles fossem reinseridos na sociedade e recebessem cidadania desde que se alistassem no Exército.

O exército de 200 milhões de soldados atravessará o rio Eufrates — que na época estará seco — para chegar ao vale do Armagedom e, dessa forma, tramar o ataque derradeiro a Israel. Provavelmente se trate de um regimento de soldados islâmicos aliados aos exércitos chineses. Por que essa dedução? Todas as nações cortadas pelo rio Eufrates são muçulmanas. Nem mesmo o fato de o rio secar será impedimento. Na Turquia, existe uma barragem que, se tiver as comportas fechadas, deixará seco o rio Eufrates. O mundo está se preparando para que a profecia do fim dos tempos se cumpra em cada detalhe.

Condições para o arrebatamento

Para ensinar os primeiros cristãos sobre a época do arrebatamento, o apóstolo Paulo — na carta aos tessalonicenses — declara que, para isso, duas situações devem acontecer. A primeira é a apostasia. E não precisamos de uma análise profunda para constatar que o mundo em que vivemos hoje está permeado de apostasia. As pessoas estão se "divorciando" da fé em Cristo por qualquer coisa. A segunda situação é a manifestação do filho da perdição, ou o anticristo.

Mas espere um pouco. Manifestar-se não significa revelar-se. O anticristo não dirá abertamente quem ele é. Somente aqueles que tiverem compreensão bíblica e espiritual o reconhecerão. Como dito, o anticristo será a pessoa que proporá um acordo de paz com duração exata de sete anos entre as três maiores religiões monoteístas do mundo (islamismo, judaísmo e cristianismo).

Apocalipse

Tal acordo será anunciado pelas redes televisivas como a oitava maravilha do mundo ou a solução para todos os conflitos sociais. E a sociedade unânime aceitará essa proposta como o início de uma mudança que trará a paz que tanto almejamos. Embora seja uma conjectura com base em evidências ainda incompletas, eu realmente acredito que sucederá dessa forma.

A iminência é outro aspecto importante na convicção de que a Igreja será arrebatada antes da tribulação. Em várias ocasiões, Jesus alertou que seus discípulos deveriam estar preparados para sua volta, pois "Quanto ao dia e à hora ninguém sabe, nem os anjos no céu, nem o Filho, senão somente o Pai. Fiquem atentos! Vigiem! Vocês não sabem quando virá esse tempo" (Marcos 13.32,33).

A volta de Cristo para levar a Igreja será iminente, ou seja, acontecerá de forma tão repentina que pegará muitos de surpresa. Vigiar e orar, portanto, são condições imprescindíveis para que os cristãos se preparem para o grande dia.

Quando será o arrebatamento?

Entre os acadêmicos, existem três correntes teológicas sobre o momento em que acontecerá o arrebatamento. Os *pré-tribulacionistas* defendem que o arrebatamento será antes da tribulação — dos quais eu faço parte. Os *miditribulacionistas* afirmam que o arrebatamento será no meio da tribulação. E os *pós-tribulacionistas* acreditam que o arrebatamento será no final. Qual tese está correta?

Jesus disse que "daquele dia e hora ninguém sabe". Ora, se os *miditribulacionistas* estiverem corretos, o arrebatamento ocorrerá três anos e meio após a assinatura do acordo de paz proposto pelo anticristo, o que significa que é possível saber a data do arrebatamento. Já não será mais surpresa. No entanto, isso contraria o que Jesus afirmou de que ninguém sabe o dia e a hora, somente o Pai. Da mesma forma, se os *pós-tribulacionistas* estiverem certos, o arrebatamento acontecerá sete anos depois, ou seja, no fim da tribulação. Também já não será mais surpresa, contrariando a palavra de Cristo.

Que sentido faz preparar-se, orar e vigiar se sabemos quando será o arrebatamento? Portanto, quanto mais analisamos a Bíblia, mais evidente fica na nossa compreensão que o arrebatamento será um evento *antes* da tribulação.

Os textos a seguir são fundamentais para sustentar a nossa convicção:

> Mas vocês, irmãos, não estão nas trevas, para que esse dia os surpreenda como ladrão. Vocês todos são filhos da luz, filhos do dia. Não somos da noite nem das trevas. Portanto, não durmamos como os demais, mas estejamos atentos e sejamos sóbrios (ITessalonicenses 5.4-6).

> Ela nos ensina a renunciar à impiedade e às paixões mundanas e a viver de maneira sensata, justa e piedosa nesta era presente, enquanto aguardamos a bendita esperança: a gloriosa manifestação de nosso grande Deus e Salvador, Jesus Cristo (Tito 2.12,13).

> "Lembre-se, portanto, do que você recebeu e ouviu; obedeça e arrependa-se. Mas, se você não estiver atento, virei como um ladrão e você não saberá a que hora virei contra você" (Apocalipse 3.3).

Portanto, se é iminente, ninguém saberá o dia e a hora. Se o arrebatamento acontecer no meio ou no fim da tribulação, as pessoas somente se arrependerão de seus pecados no

Apocalipse

último minuto. Não sabemos o dia e a hora exatamente para que nos santifiquemos a cada instante.

Outro argumento em defesa do arrebatamento antes da tribulação envolve quem pregará o evangelho naquele período. Apocalipse afirma que serão *as duas testemunhas* (cf. cap. 11) e os 144 mil (cap. 7 e 14). Qual é a origem deles? Serão judeus.

Analisemos essa questão. Se a Igreja estivesse presente na tribulação, não seria natural que o livro de Apocalipse também incluísse os cristãos como pregadores do evangelho? Afinal, o próprio Senhor Jesus ordenou: "Portanto, vão e façam discípulos de todas as nações, batizando-os em nome do Pai e do Filho e do Espírito Santo" (Mateus 28.19). Então, por que João não incluiu os cristãos na pregação do evangelho durante a tribulação? Simples. Porque eles não estarão lá! Já terão sido arrebatados por Jesus! Definitivamente, a Igreja não estará na tribulação. É fato. Muitos gentios se converterão na tribulação, mas com a pregação dos judeus e das duas testemunhas.

A última demonstração de que o arrebatamento será antes da tribulação encontra-se na tipologia bíblica. No Antigo Testamento, há diversas histórias, situações ou objetos que apontam para o futuro.

A arca de Noé, por exemplo, representava Jesus. A "arca" livrou Noé e sua família do Dilúvio — o juízo de Deus. A arca possuía apenas uma porta — Jesus disse: "Eu sou a porta; quem entra por mim será salvo. Entrará e sairá, e encontrará pastagem" (João 10.9).

Havia somente uma janela no teto da arca — Paulo nos ensina: "Portanto, já que vocês ressuscitaram com Cristo, procurem as coisas que são do alto, onde Cristo está assentado à direita de Deus" (Colossenses 3.1). Noé foi livre do Dilúvio,

O arrebatamento da Igreja e a grande tribulação

assim como você e eu seremos livres da tribulação, pois somos justificados por Cristo mediante a fé em Deus (Romanos 5). Outro "tipo" importante se revelou na vida da prostituta Raabe. Ela ajudou os dois espias de Moisés a fugirem das autoridades de Jericó. Por causa da disposição de Raabe em proteger os israelitas, os espias prometeram que ela seria preservada quando a cidade fosse atacada pelo exército de Israel. Para isso, Raabe precisaria pendurar um cordão vermelho na janela da casa como sinal para que os israelitas poupassem sua vida e a de toda a sua família (cf. Josué 2). Aquele cordão vermelho representava Jesus, que nos livra da ira. Raabe se tornou antecessora do rei Davi e, portanto, de Jesus. Ela creu no Deus de Israel, por isso não esteve presente na destruição de Jericó. Raabe simboliza os gentios (crentes em Cristo) sendo livres da tribulação.

No estudo da tipologia, o Antigo Testamento aponta para Cristo por meio de diversos tipos e símbolos. O casamento de um judeu com Raabe, uma gentia, aponta para o casamento de Cristo com a Igreja (gentia). No relato bíblico, Raabe, ao aceitar o Deus de Israel, é guardada de ser destruída pela invasão dos hebreus. Semelhantemente, a noiva de Cristo, a Igreja, será preservada do juízo que ocorrerá na grande tribulação.

O último — e o mais extraordinário — caso de tipologia bíblica que retrata o arrebatamento encontra-se na vida de Ló, sobrinho de Abraão. Antes da destruição de Sodoma e Gomorra pela ira divina, Abraão recebeu a visita de três anjos; um deles era Jesus. Quando Abraão soube que as cidades onde Ló morava seriam destruídas, lembrou-se do sobrinho e começou a interceder por ele:

> Então Abraão disse ainda: "Não te ires, SENHOR, mas permite-me falar só mais uma vez. E se apenas dez

Apocalipse

forem encontrados?" Ele respondeu: "Por amor aos dez não a destruirei". Tendo acabado de falar com Abraão, o Senhor partiu, e Abraão voltou para casa (Gênesis 18.32,33).

O que mais chama a minha atenção naquele episódio é que o apóstolo Pedro chama Ló de "justo":

> Também condenou as cidades de Sodoma e Gomorra, reduzindo-as a cinzas, tornando-as exemplo do que acontecerá aos ímpios; *mas livrou Ló*, homem justo, que se afligia com o procedimento libertino dos que não tinham princípios morais (pois, vivendo entre eles, todos os dias aquele justo se atormentava em sua alma justa por causa das maldades que via e ouvia). Vemos, portanto, que o Senhor sabe livrar os piedosos da provação e manter em castigo os ímpios para o dia do juízo (2Pedro 2.6-9).

Em Gênesis 19.22, o anjo diz a Ló: " 'Fuja depressa, porque nada poderei fazer enquanto você não chegar lá'. Por isso a cidade foi chamada Zoar". O anjo não tinha permissão de derramar a ira de Deus sobre Sodoma e Gomorra enquanto Ló não fosse retirado.

Preste muita atenção: Se Deus não trouxe juízo sobre as cidades de Sodoma e Gomorra por causa de um homem justo, imagine como ele agirá com a Igreja que está justificada pelo sangue do Cordeiro! Deus não julgará a terra enquanto houver um cristão fiel aqui. É por isso que a Igreja será arrebatada antes da tribulação. E, no instante em que subirmos aos céus para nos encontrarmos com Jesus, imediatamente começará o juízo sobre todas as nações. Essa é a nossa maior esperança. Aleluia!

Os cristãos da época de Paulo estavam tristes porque imaginavam que os que tinham morrido não participariam

O arrebatamento da Igreja e a grande tribulação

do arrebatamento. Mas Paulo corrige esse pensamento, ao dizer:

> Pois, dada a ordem, com a voz do arcanjo e o ressoar da trombeta de Deus, o próprio Senhor descerá dos céus, e os mortos em Cristo ressuscitarão primeiro. Depois nós, os que estivermos vivos, seremos arrebatados com eles nas nuvens, para o encontro com o Senhor nos ares. E assim estaremos com o Senhor para sempre. Consolem-se uns aos outros com essas palavras (1Tessalonicenses 4.16-18).

Volto a afirmar com todas as letras: a Igreja não passará pela tribulação, pois somos justificados por Cristo, firmados nele e profundamente amados por ele. Somos a noiva que caminha em direção ao altar da eternidade.

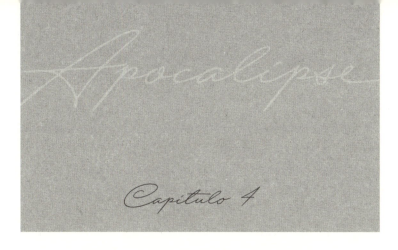

Inteligência artificial, o homem brincando de Deus

Inteligência é um dos principais atributos que nos qualificam como humanos. Pode ser definida como a faculdade de conhecer, compreender, raciocinar, pensar e interpretar. Originariamente, a inteligência reflete a capacidade de uma pessoa escolher acertadamente entre várias possibilidades ou opções que lhe são apresentadas — principalmente, com relação à solução de problemas.

Com base no conhecimento sobre a inteligência humana, os especialistas em informática e tecnologia tentam desenvolver sistemas computacionais que se assemelhem cada vez mais ao quociente intelectual humano, para se alcançar o nível máximo de *inteligência artificial*. As mentes mais brilhantes — das universidades mais conceituadas — têm se empenhado em descobrir como fazer que uma máquina

Apocalipse

ou um sistema raciocine como nós, e talvez com a perfeição que nos falta.

Os cientistas estão convictos de que haverá um tempo em que as máquinas dotadas de inteligência artificial serão capazes de resolver problemas e apresentar soluções com mais precisão e velocidade do que seus próprios construtores. A inteligência artificial será imprescindível para que o governo do anticristo seja bem-sucedido. Por isso, precisamos estudar a fundo esse tema, bem como sua relação com o fim dos tempos.

> Ora, a serpente era o mais astuto de todos os animais selvagens que o SENHOR Deus tinha feito. E ela perguntou à mulher: "Foi isto mesmo que Deus disse: 'Não comam de nenhum fruto das árvores do jardim'?" Respondeu a mulher à serpente: "Podemos comer do fruto das árvores do jardim, mas Deus disse: 'Não comam do fruto da árvore que está no meio do jardim, nem toquem nele; do contrário vocês morrerão' ". Disse a serpente à mulher: "Certamente não morrerão! Deus sabe que, no dia em que dele comerem, seus olhos se abrirão, e vocês, como Deus, serão conhecedores do bem e do mal". (Gênesis 3.1-5)

Deus queria que a humanidade se desenvolvesse e conhecesse o bem e o mal sob sua mentoria. Adão e Eva não precisavam ter conhecido o mal; eles podiam ser ensinados sobre a existência do mal sem ter de experimentá-lo. Mas o que fez a serpente? Pôs em xeque a ordem divina, como se Deus estivesse mentindo: "Certamente não morrerão! Deus sabe que, no dia em que dele comerem, seus olhos se abrirão, e vocês, como Deus, serão conhecedores do bem e do mal".

De acordo com a serpente, o primeiro casal poderia viver tranquilamente sem Deus. Era como se Deus estivesse impedindo

Inteligência artificial, o homem brincando de Deus

que o homem alcançasse todo o seu potencial. A proposta maligna era "Deixem de ser criaturas; tornem-se deuses". O anjo Gabriel profetizou que o fim dos tempos seria marcado pelo crescimento exponencial da tecnologia (cf. Daniel 9[1]), em que as informações nos chegariam tão rapidamente quanto o pensamento. As pessoas correriam de um lado para o outro, e a ciência se multiplicaria. Estamos vivendo o cumprimento dessa profecia na nossa geração. Hoje, temos mais conhecimento virtual disponível do que conseguimos acessar. Os especialistas da Singularity University dizem que, dentro de vinte anos, as máquinas serão bilhões de vezes mais inteligentes do que toda mente humana somada e combinada. E o anticristo aproveitará toda essa tecnologia para controlar a sociedade e manipular as pessoas a ponto de elas seguirem seus planos sem questionar.

Há um conceito proposto pela Singularity que nos ajuda a compreender a influência da tecnologia no fim dos tempos. Segundo eles, estamos ao momento ápice da característica mais humana; elementos inanimados, aos quais damos vida, começaram a agir de forma autônoma. Carros e meios de transporte inteligentes são capazes de decidir sozinhos o melhor caminho e evitar o mal que hoje cometemos por imperícia, imprudência ou negligência. Computadores que brincam sério e aprendem a vencer jogos dificílimos como o xadrez.

De acordo com a Singularity, começamos a assumir que o computador e os processos cognitivos programados nessas máquinas têm um poder nunca antes imaginado, ultrapassando a capacidade média de pessoas altamente treinadas

[1] Veja o cap. 2 deste livro.

Apocalipse

para executar tarefas das mais simples às mais complexas. É para ter medo do que essas máquinas podem fazer? Sim, claro! No entanto, elas podem nos ajudar a responder a uma das perguntas mais difíceis da existência humana. Algo que temos tentado fazer: uma reengenharia reversa no cérebro e entender quem somos. Assim, ao evoluir exponencialmente, a inteligência artificial será capaz de analisar de maneira objetiva todos os processos cognitivos do nosso cérebro (observar, raciocinar, agir, aprender), conseguindo desvendar a enorme complexidade da essência humana, que até hoje é um mistério para os cientistas.

É um dos tópicos de importância capital para superar os maiores desafios da humanidade. É a máquina que nos dirá quem somos nós, não Deus. A engenharia desses agentes que podem observar, raciocinar, agir, aprender e cooperar para resolver determinados problemas dos mais simples aos mais complexos, disponíveis na ponta dos dedos, sem fronteiras, nos convida a explorar os maiores dilemas e desafios com a máxima sabedoria disponível em nós mesmos".

Isso é o que os cientistas estão vislumbrando para o futuro. As máquinas que criamos irão se tornar mais inteligentes e capazes do que nós. Em pouco tempo, as máquinas construirão outras máquinas sem nenhuma intervenção humana. E, de acordo com os cientistas, irão nos ensinar quem nós somos e resolver os dilemas mais profundos e emblemáticos do ser humano.

Nos últimos cinquenta anos, os microprocessadores se tornaram muito poderosos. Estamos falando de um espaço de tempo que não significa nada na história humana. Em 1971, o custo de 0,1 cálculo por segundo no computador ficava em

Inteligência artificial, o homem brincando de Deus

1 dólar. Em 2017, o mesmo dólar era capaz de financiar 100 milhões de cálculos por segundo. Um bilhão de vezes mais.

Ray Kurzweil, um dos fundadores da Singularity University, é considerado *expert* em inteligência artificial. Ele acertou 86% de todas as previsões feitas sobre os avanços tecnológicos, inclusive o tempo que levaria para a evolução das máquinas. Segundo Kurzweil, no ano 2045, o processo de empoderamento dos computadores chegará ao nível da inteligência artificial avançada. Mais à frente, falaremos sobre isso.

Para simular o cérebro humano, são necessários 10 quatrilhões de cálculos por segundo. A mente humana é incrível! Mas até quando estaremos acima das máquinas?

Certa vez, o soviético Garry Kaspárov, campeão mundial de xadrez, foi desafiado a jogar contra o computador mais poderoso da época. No começo, a máquina perdia todas. Mas não demorou muito para que ela começasse a ganhar do campeão. Por que isso aconteceu? O computador analisava e armazenava cada lance de Kaspárov, até que passou a antecipar as jogadas, surpreendendo o adversário. Embora seja impressionante, a mente humana tem limites; o computador, não.

Até 2016, a China ocupava o topo do *ranking* dos supercomputadores com maior rendimento no mundo — sem fazer uso de tecnologia americana. O supercomputador Sunway TaihuLight é simplesmente duas vezes mais rápido do que seu antecessor. Enquanto a mente humana consegue processar 10 quatrilhões de cálculos por segundo, o Sunway já está em 33,8 quatrilhões. Portanto, três vezes mais inteligente do que o homem. Perceba, porém, que em junho de 2018 a IBM e a Nvidia já superaram essa potência com o computador Summit. Quem sabe quanto mais ainda evoluirão em anos, ou até mesmo meses?

Apocalipse

A tecnologia avançará muito mais, dizem os cientistas. No futuro, os computadores serão transformados em nanorrobôs para serem — acredite — introduzidos *nas pessoas*, no neocórtex, porque é a área responsável pela intelectualidade e pelo raciocínio. Hoje, esse tipo de procedimento é considerado invasivo demais pela sociedade; e a maioria o rejeita. Contudo, daqui a alguns anos, todos perceberão as vantagens de ter um nanorrobô no cérebro (*na região da fronte*), principalmente por questões de saúde. Quanto mais o tempo passa, mais a sociedade se torna suscetível aos avanços tecnológicos. A tendência é que as pessoas sejam tão naturais quanto digitais.

Tudo está avançando muito rapidamente. Kurzweil afirma que haverá uma interface entre o nanorrobô e os nossos pensamentos. Quando você quiser acessar a internet, não precisará mais usar o *smartphone* ou o computador; apenas pensará na pesquisa que deseja fazer, e o nanorrobô acessará a *web* e lhe responderá dentro da sua mente. Pode até parecer uma realidade extremamente futurista, entretanto está mais próxima do que imaginamos, prova disso é que há milhares de cientistas trabalhando nesse projeto.

A evolução da inteligência artificial divide-se em três estágios. O primeiro é chamado de *inteligência artificial estrita*. É o computador que está programado para realizar somente uma tarefa, possui uma rotina predefinida. Como exemplo, temos os carros que dirigem sem auxílio de motorista. Entramos no veículo, informamos à máquina o nosso destino e curtimos a viagem. O carro inteligente executa todas as manobras com muita precisão; evita o trânsito pesado e até controla as situações de emergência para evitar acidentes.

Quando visitei a minha filha Érica nos Estados Unidos, notei que havia na casa um pequeno aspirador de pó inteligente. Limpava sozinho a casa toda. Se a bateria estivesse acabando, o aspirador se movia até a base de energia e se recarregava. Em seguida, continuava o serviço doméstico. Um exemplo de inteligência artificial estrita em que os robôs têm uma única finalidade e a fazem com excelência.

Ainda nos Estados Unidos, resolvi alugar um carro. Por um ótimo preço, ofereceram-me um *upgrade* na locação: o Volvo XC90. A minha esposa, Lylian, e eu embarcamos em Miami com destino a Orlando. Durante a viagem, comecei a ouvir um som estranho; parecia que o carro estava com um pneu furado, pois puxava de um lado. Na verdade, não havia problema algum. No painel, estava escrito "Ajuda para o motorista". O veículo possuía inteligência artificial, e o sistema operacional estava se disponibilizando para assumir o controle. "Lylian, eu vou soltar a direção". Assustada, a minha esposa queria descer do carro. Mesmo assim, soltei as mãos do volante e viajamos horas seguidas sem nenhum problema, conduzidos pela inteligência artificial do veículo. Todas as manobras eram feitas com incrível precisão.

O segundo estágio é a *inteligência artificial geral*. Trata-se dos computadores tão inteligentes quanto os seres humanos considerados normais. São máquinas capazes de fazer as mesmas tarefas que você e eu realizamos e até um pouquinho mais. Esse é o nível em que a tecnologia de hoje está.

Se chegarmos ao terceiro estágio de inteligência artificial, teremos alcançado a *singularidade*, prevista por Kurzweil. Bem, se ele acertou 86% de tudo que afirmou, então é bem provável que isso aconteça. A singularidade será o ápice

Apocalipse

da tecnologia, quando teremos perdido o controle para os computadores. Seremos controlados pelas máquinas. Se, de fato, isso acontecer, a inteligência artificial será — em uma projeção científica — 1 bilhão de vezes mais inteligente do que toda a humanidade, de todos os tempos. Nesse nível máximo de inteligência artificial, a extinção da raça humana poderá ser mera especulação hollywoodiana para a realidade descrita no livro de Apocalipse. Muitos roteiros de filmes são baseados em sérias pesquisas tecnológicas. Por isso, o que vemos nos cinemas pode ser o prenúncio do que viveremos no futuro.

Se você considera uma perspectiva exagerada a extinção por causa da tecnologia, pense nisto: dentro do reino animal, por que os seres humanos ainda não foram extintos? Ou ainda: por que os homens sobrepujam todos os outros animais? Você sabe a resposta... *Porque somos mais inteligentes.* Foi a inteligência que nos colocou no topo da cadeia alimentar. Não foi a força, nem a aparência, nem a capacidade de resistir às intempéries. Foi a inteligência!

Agora, imagine o que acontecerá quando as máquinas tiverem competência intelectual superior à nossa! Sinceramente, não sei se esse nível será alcançado, mas é exatamente isso que os cientistas mais renomados estão prevendo. São admitidas duas situações: ou a extinção do homem, ou a deificação do homem — seres mortais se tornando semideuses. A interação entre homem e máquina será tão convergente que surgirá a mente híbrida, ou capacidade neural humana potencializada pelo processamento virtual dos nanorrobôs. Não seria essa a marca da besta?

A diferença cognitiva entre uma formiga e um ser humano será nada se estendermos essa comparação entre a mente humana e os computadores com superinteligência artificial. Quando as máquinas forem capazes de construir outras máquinas, as consequências para os seres humanos serão imensuráveis.

Em Gênesis 3, Satanás estava instigando Adão e Eva a ser como Deus por meio do conhecimento. A serpente estava prevendo no passado aquilo que os cientistas estão a ponto de realizar no presente. Todos supõem que o homem alcançará um estágio mental muito superior ao atual. E o conhecimento aplicado em diversos ramos tecnológicos será a principal ferramenta para esse propósito. No entanto, a finalidade de tudo isso é preparar a sociedade para o controle do anticristo na tribulação.

As aplicabilidades da inteligência artificial são inúmeras: carros que dirigem por você, eletrodomésticos que cuidam da casa e tantas outras. Mas, além da praticidade, a inteligência artificial pretende nos auxiliar na tomada de decisões. Um investidor da bolsa de valores que quiser ser bem-sucedido terá de fazer uma análise constante das tendências das ações. Existem agências que prestam esse serviço muito bem. Todavia, seis das oito maiores agências já não estão confiando na decisão de seus analistas humanos. Preferem usar *softwares* especializados, ou a chamada inteligência artificial. Só com essa mudança, lucraram nada menos que 8 bilhões de dólares.

A inteligência artificial influenciará as nossas decisões em muitas áreas. Em contratações de pessoal, por exemplo. O entrevistador precisa analisar o currículo do candidato, além de observar postura, reações, gestos, diálogos. Por mais experiente que seja, a percepção do entrevistador será sempre subjetiva, pois refletirá seu estado emocional. Uma mulher que estiver

Apocalipse

com desequilíbrio hormonal por causa de TPM não conseguirá fazer uma análise acurada de um candidato. Da mesma forma, um homem dominado por seus impulsos sexuais poderia aprovar todas as candidatas cuja beleza mereça uma capa de revista, mesmo que não tenham competência alguma.

Ao tomar decisões, as pessoas dependem de muitas variáveis químicas, intelectuais, familiares, entre outras. Por isso, os computadores com *software* inteligente em análise facial poderão ajustar as nossas escolhas com base em quesitos técnicos, não em percepções voláteis.

Hoje, o *iPhone* já consegue reconhecer a face de seu proprietário. Existem câmeras na China capazes de reconhecer, com precisão milimétrica, uma pessoa no meio da multidão. Isso é possível porque os supercomputadores conseguem armazenar e testar em milissegundos uma infinidade de imagens com todo tipo de reação humana. Dentro de pouco tempo, as redes sociais promoverão encontros de namorados com maior probabilidade de dar certo. Por meio da análise de perfis e de *softwares* que fazem leitura facial, saberão os parceiros que mais combinam entre si.

A inteligência artificial irá interferir diretamente na vida do ser humano. Na medicina, essas máquinas irão suplantar a percepção e a análise médicas. Hoje, alguns aparelhos conseguem escanear um órgão do corpo e ter 99% de acerto no diagnóstico, sem precisar de biópsia. Em breve, os *scanners* inteligentes detectarão células em estágio inicial de mutação, pelo menos dois anos antes de se tornarem cancerígenas.

Ouvi o comentário de uma neurocientista mundialmente reconhecida, dizendo que é possível prever os surtos bipolares com 15 dias de antecedência. Por meio de exames

especiais, os neurologistas conseguem detectar microaltera-
ções químicas no cérebro do paciente, como se fossem sinais
de alerta. Com a superinteligência artificial, ou seja, com o
nanorrobô implantado no neocórtex, a análise desses distúrbios psíquicos será bem mais rápida e eficaz. Além disso, os
familiares do paciente poderão ser avisados sobre a iminência
do surto, por meio de mensagens via celular.

O leque de aplicabilidades da inteligência artificial parece
não ter fim. Antidepressivos nada mais são do que hormônios para restabelecer o bem-estar nos pacientes que sofrem
de depressão. Boa parte das depressões resulta da deficiência
na comunicação eletroquímica entre as células nervosas, ou
neurônios. Se houver falha nas sinapses, a pessoa se sentirá
cansada, sem foco, com o pensamento 40 vezes mais lento
do que o normal. Um nanorrobô no cérebro poderia liberar
a dose exata de neurotransmissores, evitando assim uma
quantidade exagerada de medicamentos. Com benefícios tão
evidentes, quem iria se opor à implantação de um nanorrobô
em seu cérebro? As filas nos centros de saúde certamente
dobrarão as esquinas.

Quanto mais analisamos os avanços tecnológicos, mais
convicção adquirimos de que a "marca da besta" não será uma
simples inscrição do número 666 na testa ou na mão. Certamente, será um dispositivo eletrônico, um *chip* ou um nano-
computador implantado no ser humano. Esse artefato, além de
armazenar todas as informações da pessoa, será responsável
por interagir com a saúde dela. No entanto, também poderá
influenciar diretamente a tomada de decisões do indivíduo.

Então, por que a Bíblia afirma com todas as letras que a
pessoa que aceitar essa marca não entrará no Reino dos céus?

Apocalipse

Simplesmente, porque aceitar a marca da besta será concordar com todas as blasfêmias que ela e o anticristo proferiram contra Deus (cf. Apocalipse 13.6) — o mais alto grau de apostasia. Quem receber o *chip* ou o nanorrobô, começará a questionar a fé em Deus. Porque as percepções espirituais e emocionais provêm de reações químicas no cérebro. Pessoas apaixonadas apresentam o nível de *ocitocina* elevado. Quando estamos focados em uma situação, quer dizer que o nosso cérebro recebeu uma boa dose de *dopamina*. Durante o exercício físico, o corpo produz *endorfina*, que alivia a dor. Por que sentimos alegria quando comemos uma barra generosa de chocolate? Porque é quando o corpo produz *serotonina*. A maioria das reações que temos resulta da alteração dos níveis hormonais no cérebro. Nosso *status* emocional depende disso.

Quando buscamos a presença de Deus em oração, o nosso cérebro desencadeia uma série de reações neurais que nos faz sentir melhor. Isso nos aproxima mais do Senhor. Até os psiquiatras concordam que uma pessoa cheia de fé tem mais chance de ser curada do que o descrente. A fé estimula o corpo a produzir os hormônios do bem.

O problema é que os especialistas sempre apresentam primeiro o lado bom da tecnologia; só depois — bem depois — é que informam os possíveis efeitos colaterais. Na preparação para o governo do anticristo, o *marketing* de suas estratégias será irresistível. Quem não irá querer um *nanoscanner* capaz de detectar um câncer com anos de antecedência? As chances de cura dobrarão, e a medicina diagnóstica dará um salto inimaginável! Nenhuma enfermidade pegará as pessoas de surpresa.

Inteligência artificial, o homem brincando de Deus

Kurzweil diz que em dez anos os nanorrobôs serão introduzidos no cérebro humano através de vasos capilares, a fim de estabelecer uma conexão com o cérebro sintético que estará na nuvem (*cloud computing*), disponibilizando à rede uma extensão do neocórtex. Hoje, os computadores são externos, mas no futuro bem próximo estarão dentro de nós. Quem detiver essa tecnologia, terá o controle da humanidade na palma da mão.

Estamos vivendo no pós-modernismo, cuja máxima de pensamento é que "não existem absolutos". Nietzsche, que faleceu em 1900, profetizou que Deus seria morto no século XX, o tempo mais violento da História. Sem saber, Nietzsche estava sendo a boca do inferno, pois por causa dos comunistas mais de 150 milhões de pessoas perderam a vida. Note que essa é uma observação histórica, não política. Houve mais mortes em revoluções comunistas do que na primeira e na segunda guerras mundiais e em todas as revoluções.[2] O homem "matou a Deus" porque deixou de crer na existência do Eterno. E foi mais longe: constituiu a si mesmo como deus.

Nietzsche disse ainda que, assim como houve a evolução do macaco para o hominídeo, o homem natural de hoje está evoluindo para o super-homem, que não crê em Deus porque

---

[2] Ainda que esteja citando a morte de mais de 150 milhões de pessoas pelas revoluções comunistas, não estou, em hipótese alguma, pretendendo defender aqui o sistema capitalista como um melhor sistema de governo, até porque milhões de vidas também morreram em muitas guerras e invasões promovidas por nações capitalistas. A razão de ter colocado essa informação é porque nenhuma guerra promovida por países capitalistas matou pessoas por conta de sua fé. Além disso, há razões históricas que mostram que países atualmente comunistas se aliam aos inimigos de Israel e muito provavelmente estarão entre aqueles que invadirão Israel na batalha do Armagedom.

Apocalipse

ele mesmo é seu deus. Em outras palavras, os homens estão brincando de ser Deus. O Apocalipse está se cumprindo diante dos nossos olhos.

O que irá acontecer daqui para a frente? Infelizmente, não tenho boas notícias. Como disse Jesus: "Devido ao aumento da maldade, o amor de muitos esfriará" (Mateus 24.12). E ainda: "[...] Contudo, quando o Filho do homem vier, encontrará fé na terra?" (Lucas 18.8). Cada vez mais o homem pensará que não precisa de Deus. A Europa se tornou o cemitério do cristianismo. O ceticismo cresce em todas as nações. Há vinte anos, 60% dos americanos diziam que a Palavra de Deus é verdadeira. Hoje, nem 30% deles confessam a Bíblia como a verdade absoluta. Muitos vivem dentro da Igreja, mas questionam a Palavra de Deus e duvidam de suas profecias.

O discurso da serpente no Éden está se repetindo neste tempo. E mais uma vez a proposta do mal é a mesma: "Você terá as respostas por meio do conhecimento". O conhecimento levará ao desenvolvimento de computadores e máquinas cada vez mais complexos, com possibilidade de responder aos anseios mais profundos do ser humano. A era do controle se aproxima, e , por conseguinte, o mundo está sendo preparado para o anticristo. Portanto, a Igreja precisa estar pronta para o arrebatamento.

A grande tribulação será um período como nunca houve na História. Nada do que já vimos — guerras, catástrofes, atentados, calamidades — se compara ao que está por vir sobre a terra. Por isso, precisamos com urgência orar pelos nossos familiares para que não fiquem aqui. Sim, as pessoas poderão se converter durante a tribulação, mas o preço será alto demais: dor e sofrimento intensos, e a perda da própria vida.

Inteligência artificial, o homem brincando de Deus

Há vinte anos, ministrei uma séria de mensagens sobre a Nova Era. Dada a tecnologia daquela época, eu imaginava que a TV seria o canal de transmissão dos sinais do fim dos tempos e o meio pelo qual a Igreja os reconheceria. Hoje, sabemos que, antes de as notícias serem divulgadas nos telejornais, já foram lidas nas redes sociais.

Embora temas como a inteligência artificial e a invasão à intimidade nos assustem, podemos acalmar o coração, na certeza de que Deus sempre estará no controle de todas as coisas. Pois "Do SENHOR é a terra e tudo o que nela existe, o mundo e os que nele vivem" (Salmos 24.1).

> Então será revelado o perverso, a quem o Senhor Jesus matará com o sopro de sua boca e destruirá pela manifestação de sua vinda. A vinda desse perverso é segundo a ação de Satanás, com todo o poder, com sinais e com maravilhas enganadoras. Ele fará uso de todas as formas de engano da injustiça para os que estão perecendo, porquanto rejeitaram o amor à verdade que os poderia salvar. Por essa razão Deus lhes envia um poder sedutor, a fim de que creiam na mentira e sejam condenados todos os que não creram na verdade, mas tiveram prazer na injustiça. (2Tessalonicenses 2.8-12)

Deus está permitindo que venha a operação do erro nesta geração. Por causa do engano e da mentira, muitos estão rejeitando a verdade e preferem crer na mentira, buscando prazer na injustiça. Por enquanto, eles se deleitam, mas, quando o anticristo se manifestar e trouxer com ele a tribulação, aqueles que riem hoje e desprezam a Deus chorarão amargamente. Contudo, por mais que se lamentem e estejam quebrantados, terão de passar pela tribulação.

Alguns irreverentes chegarão a declarar aos céus:

Apocalipse

"Muitos me dirão naquele dia: 'Senhor, Senhor, não profetizamos em teu nome? Em teu nome não expulsamos demônios e não realizamos muitos milagres?' Então eu lhes direi claramente: Nunca os conheci. Afastem-se de mim vocês que praticam o mal!" (Mateus 7.22,23).

Por isso, em primeiro lugar, precisamos orar: "Senhor, guarde o meu coração para que eu não seja enganado". Mas, se ainda houver dúvida, clame a Jesus. Ele blindará a sua alma e protegerá a sua mente dos dardos inflamados do Maligno. Assim, você e a sua família serão guardados "*da hora* da provação que está para vir sobre todo o mundo, para pôr à prova os que habitam na terra" (Apocalipse 3.10).

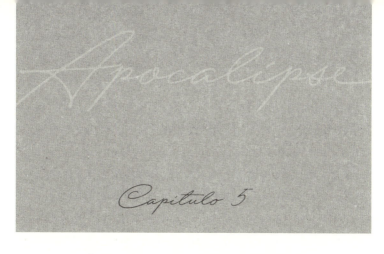

A grande tribulação

Depois que Adão e Eva — incitados pela serpente — cederam à tentação e pecaram contra o Criador (cf. Gênesis 3), duas escolhas foram definidas para a humanidade: seguir o caminho de Deus para receber a redenção em Cristo ou seguir o caminho de Satanás para receber a condenação.

Os filhos de Deus — que aceitam Jesus como Senhor e Salvador — trilham o caminho do bem. Os filhos das trevas — que rejeitam Deus e o sacrifício de Jesus na cruz — trilham o caminho do mal. De um lado, estão aqueles que servem a Deus; de outro, aqueles que servem ao Diabo. Estamos diante de uma batalha contínua que irá se estender até o último momento do fim dos tempos.

Para complicar ainda mais o cenário, a nação de Israel está exatamente no centro desse conflito milenar. Muitas nações sentem ódio de Israel. Mas a única razão para esse sentimento destrutivo contra o povo de Deus é compreendida

Apocalipse

de uma perspectiva espiritual. De outra forma, não tem sentido algum.

Israel ocupa uma pequena área de 20.700 km², o equivalente ao estado de Sergipe, no nordeste brasileiro. Grande parte de sua geografia é coberta por desertos. A agricultura, a pecuária ou a captação de recursos naturais, e demais culturas, são feitas com muita dificuldade e sacrifício. Entretanto, o mundo inteiro quer conquistar aquele pedaço de terra, especialmente a cidade de Jerusalém. Você sabe por quê?

O monte Moriá é o centro de Jerusalém. E este é o centro do mundo, tanto do ponto de vista físico quanto espiritual. É por isso que Satanás provoca as nações contra Israel, a única democracia do Oriente Médio. A conquista de Jerusalém, portanto, representa o domínio do mundo.

A despeito das diversas denominações eclesiásticas, a Igreja — como o corpo de Cristo — precisa se unir para interceder por Israel e defender Jerusalém. Chegou a hora de os verdadeiros cristãos escolherem o lado de Deus nesta guerra. Quem insiste em permanecer em cima do muro, já escolheu um lado. Ficar contra Israel é posicionar-se contra o cristianismo.

A situação dos cristãos no Oriente Médio é devastadora. Recep Tayyip Erdogan, presidente da Turquia, invadiu a Síria e intimou os cristãos curdos: ou se convertem ao islã, ou serão decapitados. Essa perseguição gratuita contra os cristãos é um prenúncio do que irá acontecer na grande tribulação.

Não sabemos quanto tempo a Igreja permanecerá na terra até o arrebatamento. Enquanto estiver na terra, a Igreja tem um papel, que é assumir o lado de Israel e defender o seu direito, porque há uma promessa de Deus feita a Abraão e que pode alcançar todos nós:

A grande tribulação

"Abençoarei os que o abençoarem
e amaldiçoarei os que o amaldiçoarem;
e por meio de você
todos os povos da terra
serão abençoados" (Gênesis 12.3).

Quando abençoamos Israel, permanecendo a favor dos judeus, somos profundamente abençoados. Na votação da ONU sobre a criação do Estado de Israel, em 1948, o secretário-geral era o brasileiro Osvaldo Aranha, seu voto de minerva deu a Israel o direito de existir como nação.

O acordo de paz

O período da tribulação, como vimos em capítulos anteriores, será de sete anos. Iniciará com o tratado de paz imposto pelo anticristo, no qual será pautada a solução para o caos que sucederá ao arrebatamento. O desaparecimento repentino de milhões de pessoas de todas as nações causará um abalo global nos pilares da sociedade. Economia e segurança entrarão em colapso. Haverá anarquia, saques e atentados oportunistas. As ruas se tornarão verdadeiros campos de batalha.

As catástrofes profetizadas em Apocalipse serão de ordem mundial, afetando, assim, todas as nações. Haverá uma crise como nunca houve na história humana. Por causa do panorama caótico, provavelmente a ONU terá de assumir o controle até que a situação seja ajustada, sendo seu secretário-geral um forte candidato a ocupar o papel de anticristo. Esse político, não uma pessoa ligada à religião, convocará os maiores líderes para propor um plano de ação. Como consequência, o mundo será dividido em dez regiões; em cada uma

Apocalipse

haverá um líder indicado pelo anticristo. Assim, surgirá uma nova ordem mundial sob a égide do mal.

Nos primeiros três anos e meio, não se esqueça, o tratado de paz do anticristo estará em vigor como uma tentativa "voluntária e bem-intencionada" de conter o caos, as guerras e a fome. Nesse período, os quatro cavaleiros do Apocalipse derramarão a ira de Deus sobre a terra. Tudo isso acontecerá na primeira metade da tribulação. O anticristo ainda será visto por todos como o "ícone da paz", aquele que terá a responsabilidade de resolver a crise para que a ordem seja restabelecida. Principalmente, porque a base de sua proposta será a união das três maiores religiões monoteístas do mundo: cristianismo, judaísmo e islamismo.

Como parte do acordo de paz, os judeus terão permissão para construir o *terceiro templo*. Os palestinos possivelmente receberão autoridade sobre os territórios ocupados na Judeia, próximos à cidade de Jerusalém. Talvez os cristãos mais liberais estejam na mesa mediando esse acordo, com o discurso de que "todos nós somos irmãos, todos cremos em Deus", a fim de eliminar as diferenças por meio de uma religião que satisfaça a todos.

Na tribulação, os pontos de convergência dessas três religiões serão destacados para promover a "paz". Afinal, os judeus são filhos de Isaque, *filho de Abraão*. Os árabes são filhos de Ismael, *filho de Abraão*. E, segundo o apóstolo Paulo, os cristãos também são filhos de Abraão (Gálatas 3.7). E todos creem em um Deus único — embora com nomes diferentes.

O acordo de paz do anticristo dará valor às coisas que unem as pessoas. Aquilo que provoca divisão, sobretudo as diferenças religiosas, será eliminado. Haverá novas leis, um

A grande tribulação

novo sistema econômico e um novo calendário (v. Daniel 2.21). Depois de muitos estudos sobre esse tema com base em dezenas de fontes, há fortes indícios de que o calendário islamita será implementado na nova religião mundial. Isso se confirmará se o islã estiver presente na cúpula do governo do anticristo.

O controle financeiro será uma das mudanças preconizadas pelo anticristo mais fáceis de ser aceitas pela sociedade durante a tribulação. Em uma economia globalizada, as nações dependem uma das outras. Dependem tanto que os embargos são usados como sanções aos países que descumprem as regras da OMC — Organização Mundial do Comércio. Essa interdependência é muito sensível às reações do mercado. Se as ações de uma grande empresa chinesa caem, as bolsas de todo o mundo são afetadas. Isso acontece, em boa medida, porque a economia de um país está atrelada a uma moeda sua, que possui poder de compra diferente de outras moedas. Portanto, se houver uma nova moeda única, o governo do anticristo terá mais facilidade para controlar a economia. Numa época em que haverá escassez por todos os lados, o controle da economia será irrefutável.

Em 1975, Henry Kissinger, um diplomata estadunidense de origem judaica, escreveu o livro *Pawn in the Game* [O peão no jogo]. Naquela época, Kissinger previa que, enquanto o mundo caminhava para um crescimento exponencial da população, os recursos seguiam em direção oposta; e não haveria solução para esse problema. Henry foi um dos primeiros estudiosos a cunhar o termo "Nova Ordem Mundial". Haveria tanta escassez que somente um governo mundial seria capaz de determinar uma distribuição mais equânime dos recursos.

Apocalipse

Essa Nova Ordem bem pode representar o que acontecerá no futuro, no governo do anticristo.

A grande tribulação

A *grande tribulação* abrangerá os três anos e meio finais da *tribulação*. Essa distinção é necessária porque a grande tribulação marca a quebra do acordo de paz. A partir daí, o anticristo começará a perseguir os judeus e os que invocarem o nome de Jesus. Sim, durante a tribulação, muitas pessoas se converterão a Cristo.

Em Apocalipse, quando um dos anciãos pergunta a João: "[...] 'Quem são estes que estão vestidos de branco e de onde vieram?' " (7.13), o próprio ancião responde: "[...] 'Estes são os que vieram da grande tribulação, que lavaram as suas vestes e as alvejaram no sangue do Cordeiro' " (7.14). Portanto, haverá salvação no fim dos tempos. Mas o preço será morrer pelo nome do Senhor.

> "Assim, quando vocês virem 'o sacrilégio terrível', do qual falou o profeta Daniel, no Lugar Santo — quem lê, entenda — então, os que estiverem na Judeia fujam para os montes." (Mateus 24.15,16)

Os miditribulacionistas interpretam os versículos que acabamos de ler como o início da perseguição do anticristo à Igreja. No entanto, o contexto bíblico se refere aos judeus, não aos cristãos.

Que elementos indicam que Jesus estava citando os judeus em sua profecia?

Em primeiro lugar, a expressão "o sacrilégio terrível" faz referência a Antíoco Epifânio, um rei da dinastia selêucida que

A grande tribulação

governou a Síria entre 175 a.C. e 164 a.C. Assim que invadiu Jerusalém, Antíoco proibiu com pena de morte a leitura da Torá. Depois, ele sacrificou uma porca no altar de bronze do templo — um animal considerado impuro pelo povo judeu. Por fim, Antíoco introduziu no Lugar Santíssimo uma imagem de Zeus, o deus supremo dos gregos. Os judeus chamaram esse ato de desrespeito absurdo como "o sacrilégio terrível". Foi por isso que, em Mateus 24, Jesus citou esse episódio passado para descrever que algo semelhante aconteceria no futuro, para marcar o início da grande tribulação.

Desse modo, a profanação do terceiro templo coincidirá com o começo da grande tribulação. Acontece que, para o templo ser profanado, terá de ser construído primeiro. Para a maioria, isso não será possível, pois o novo templo deveria ser erguido na região onde estão hoje a Mesquita de Al-Aqsa e o Domo da Rocha. Este, construído em cima da rocha mais elevada daquele monte, é um dos lugares mais sagrados para o islã. Os muçulmanos afirmam que, naquela rocha, Ismael teria sido oferecido a Deus. Contudo, a Bíblia garante que, na verdade, foi Isaque.

A boa notícia é que o terceiro templo será erguido bem no meio, entre Al-Aqsa e o Domo. Portanto, o acordo de paz será possível porque não haverá necessidade de destruir nenhuma construção sagrada para os muçulmanos.

Em segundo lugar, Jesus citava os judeus em sua profecia porque ele afirmou que os que estiverem na Judeia devem fugir para os montes; e quem estiver no eirado, segundo algumas traduções, não deve descer para tirar alguma coisa de sua casa (cf. Mateus 24.16,17).

O eirado aqui se refere a uma espécie de local descoberto muito comum sobre a laje das casas judaicas — mesmo

Apocalipse

nas residências mais simples. É muito usado para tomar ar fresco e admirar a vista. Trata-se de uma peculiaridade do modo de vida dos judeus. Portanto, a perseguição profetizada por Jesus em Mateus 24 será sobre os judeus, não sobre a Igreja. E será tão intensa que nem dará tempo de buscar nada em casa; o judeu que quiser sobreviver terá de fugir imediatamente.

Jesus continuou: "Orem para que a fuga de vocês não aconteça no inverno nem no sábado" (Mateus 24.20). O *sabbath* é o dia em que os judeus descansam ou estudam nas sinagogas; portanto, um dia em que estão completamente despreparados para uma possível fuga. Se o *sabbath* foi estabelecido para os judeus, então não há razão para se pensar que a profecia de Jesus também inclui os cristãos.

Na grande tribulação, o controle social será absoluto. A tecnologia avançada permitirá que qualquer pessoa seja imediatamente reconhecida em qualquer lugar por câmeras inteligentes de alta resolução. O que hoje consideramos apenas ficção científica, no futuro será tão comum quanto o celular que temos nas mãos. Quem imagina que conseguiria escapar do reconhecimento facial, será facilmente localizado pelo *chip* ou nanorrobô implantado na fronte ou na mão. O anticristo não terá a menor dificuldade para perseguir os judeus na grande tribulação.

A biografia de Hitler parecerá história em quadrinhos se comparada às atrocidades planejadas pelo anticristo. Ele será brutal, implacável, muito pior do que todos os ditadores que viveram até hoje.

Há algumas descrições bíblicas sobre a grande tribulação que nos ajudam a entender quão adverso será esse tempo.

A grande tribulação

"Na terra toda, dois terços serão ceifados e morrerão; todavia a terça parte permanecerá", diz o Senhor. "Colocarei essa terça parte no fogo e a refinarei como prata e a purificarei como ouro. Ela invocará o meu nome, e eu lhe responderei. É o meu povo, direi; e ela dirá: 'O Senhor é o meu Deus'." (Zacarias 13.8,9)

Hitler exterminou um terço dos judeus no Holocausto. De acordo com a perspectiva bíblica, dois terços dos judeus em todo o mundo morrerão pelas mãos do anticristo na grande tribulação. Contudo, um terço sobreviverá; e será esse remanescente que reconhecerá Jesus como o Messias.

"Como será terrível aquele dia! Sem comparação! Será tempo de angústia para Jacó; mas ele será salvo. 'Naquele dia', declara o Senhor dos Exércitos, 'quebrarei o jugo que está sobre o pescoço deles e arrebentarei as suas correntes; não mais serão escravizados pelos estrangeiros. Servirão ao Senhor, ao seu Deus, e a Davi, seu rei, que darei a eles'." (Jeremias 30.7-9)

Sabemos que o dia do Senhor não abrange apenas um dia do calendário tradicional, mas, sim, o período de sete anos da grande tribulação. Alguns teólogos consideram que Jeremias, ao escrever "Davi, seu rei", estava se referindo ao filho de Davi, prática comum naquele tempo. Portanto, essa poderia ser uma alusão ao próprio Jesus Cristo como "Filho de Davi", que governará no período do milênio. Outras correntes teológicas defendem que será Davi mesmo que governará Jerusalém e Israel enquanto Jesus regerá o mundo. Obviamente não é possível ter certeza.

"Então voltarei ao meu lugar até que eles admitam sua culpa. Eles buscarão a minha face; em sua necessidade eles me buscarão ansiosamente." (Oseias 5.15)

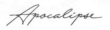

Depois de dois dias ele nos dará vida novamente; ao terceiro dia, ele nos restaurará, para que vivamos em sua presença. (Oseias 6.2)

A condição requerida por Deus para que Israel seja salvo é reconhecer seu pecado — o de ter rejeitado Jesus como o Messias. Pecado esse que até hoje tem consequências, pois continuam esperando o Messias que já veio há mais de dois mil anos.

Yitzhak Kadouri foi um proeminente rabino que dedicou sua vida ao estudo da Torá e o mais respeitado cabalista da atualidade. Ele era muito amado e respeitado pelos israelenses. Quando faleceu, aos 108 anos de idade, mais de 300 mil pessoas prestaram-lhe homenagens em seu funeral. Mais ou menos um ano antes de sua morte, ele convocou seus discípulos e lhes disse: "O Messias me visitou". Entusiasmados, os discípulos perguntaram quem era. Kadouri respondeu: "Só revelarei um ano depois que eu morrer; deixarei uma carta".

Logo depois da morte de Yitzhak, David Kadouri, que era filho e discípulo, abriu a carta, e nela havia um acróstico (um tipo de composição poética) em que as primeiras letras de cada verso formavam, em sentido vertical, o nome *Yeshua*. Embora ainda haja entre os rabinos controvérsia sobre a carta de Yitzhak, a verdade é que Deus está preparando o coração de seu povo para reconhecer o Messias, ainda que seja no ardor da grande tribulação.

"Se alguém lhe perguntar: 'Que feridas são essas nas tuas mãos?' responderá ele: 'São as feridas com que fui ferido na casa dos meus amigos'. 'Ó espada, ergue-te contra o meu Pastor e contra o homem que é o meu companheiro', diz o Senhor dos Exércitos. 'Fere o pastor, e as ovelhas se dispersarão, mas voltarei a minha mão para os pequenos. Em toda a

A grande tribulação

terra', diz o Senhor, 'as duas partes dela serão extirpadas e expirarão, mas a terceira parte restará nela' " (Zacarias 13.6-8, *AEC*).

Zacarias profetizou o que acontecerá nas horas finais da grande tribulação. Os judeus que sobreviverem à cruel perseguição do anticristo terão mais uma chance de reconhecer Jesus como o Messias tão esperado por Israel.

Alguns teólogos acreditam que o Éden ficava na região do monte Moriá, em Jerusalém. Arqueólogos renomados afirmam que a primeira guerra na história da humanidade aconteceu naquele lugar. Muitos rabinos dizem que foi dali que Deus criou o mundo. Adão, no momento em que pecou, entregou nas mãos de Satanás a autoridade que havia recebido do Senhor no Éden. Desde então, o Diabo procura dominar o mundo. Mas, quando Jesus declarou que todo o poder no céu e na terra lhe havia sido conferido (Mateus 28.18,19), sua intenção era deixar bem claro que haverá um dia em que o governo do mundo voltará para as mãos do Criador e de Cristo.

O príncipe que virá

O Antigo Testamento apresenta 33 títulos que descrevem o "governante que virá", o anticristo; e há mais 13 no Novo Testamento. De acordo com o profeta Daniel, esse príncipe destruirá o templo e perseguirá os santos.

Descendente da serpente

O anticristo é chamado "descendente da serpente", ao passo que Cristo é o "descendente da mulher". Nos primórdios da Criação, teve início uma batalha espiritual — que se estende por toda a História — entre os descendentes da serpente — os

filhos de Caim — e os descendentes da mulher — os filhos de Sete; ambos filhos de Adão e Eva. Essa guerra culminará na grande tribulação, na batalha final entre o descendente da mulher, Jesus Cristo, e o descendente da serpente, o anticristo.

"Porei inimizade entre você e a mulher, entre a sua descendência e o descendente dela; este ferirá a sua cabeça, e você lhe ferirá o calcanhar." (Gênesis 3.15)

Pastor inútil

"Porque levantarei nesta terra um pastor que não se preocupará com as ovelhas perdidas, nem procurará a que está solta, nem curará as machucadas, nem alimentará as sadias, mas comerá a carne das ovelhas mais gordas, arrancando as suas patas. Ai do pastor imprestável, que abandona o rebanho! Que a espada fira o seu braço e fure o seu olho direito! Que o seu braço seque completamente, e fique totalmente cego o seu olho direito!" (Zacarias 11.16,17)

Muitos deduzem que o anticristo sofrerá um atentado, com uma ferida na cabeça (v. Apocalipse 13.3), que deixará como sequela a perda de um olho e ainda terá um dos braços afetados.

Pequeno chifre

"Enquanto eu considerava os chifres, vi outro chifre, pequeno, que surgiu entre eles; e três dos primeiros chifres foram arrancados para dar lugar a ele. Esse chifre possuía olhos como os olhos de um homem e uma boca que falava com arrogância." (Daniel 7.8)

Na Bíblia, chifre simboliza autoridade. Mas por que "chifre pequeno" se o anticristo será revestido do poder de Satanás? Pessoalmente, considero que esse chifre representa um país que tem uma história curta se comparado aos demais chifres que representam nações do Velho Mundo.

Muitos outros nomes são usados para descrever o anticristo no Antigo Testamento: *rei de duro semblante* (Daniel 8.23); *governante que virá* (Daniel 9.26); *rei guerreiro* (Daniel 11.3); *assírios* (Isaías 10.24), entre outros. O reino assírio estava estabelecido onde hoje estão o Iraque, a Síria e uma parte da Turquia. Por isso, eu não me surpreenderia se o governo do anticristo firmasse sua base principal em Istambul, a antiga Constantinopla.

> "No final do reinado deles, quando a rebelião dos ímpios tiver chegado ao máximo, surgirá um rei de duro semblante, mestre em astúcias." (Daniel 8.23)

No Novo Testamento, o anticristo é chamado principalmente de a "besta" (Apocalipse 11.7). Mas, em Apocalipse, aparecem duas bestas: a que saiu do mar e a que saiu da terra. Por causa dessa nomenclatura, alguns especialistas em escatologia acreditam que o anticristo seria gentio (a besta que saiu do mar). E a besta que saiu da terra, o falso profeta, seria judeu. São apenas suposições. É possível que o líder espiritual judeu reconheça o anticristo como o ungido por Deus para propor a paz entre as religiões.

Características do anticristo

Gênio intelectual

> "No final do reinado deles, quando a rebelião dos ímpios tiver chegado ao máximo, surgirá um rei de duro semblante, *mestre em astúcias*." (Daniel 8.23)

Apocalipse

"Você é mais sábio que Daniel? Não haverá segredo que lhe seja oculto?" (Ezequiel 28.3)

A expressão traduzida por "mestre em astúcias" tem origem na expressão hebraica *hidah*, que significa questão difícil ou perplexa, adivinhação, ou transação dúbia. O anticristo será especialista em falar coisas de duplo sentido, um gênio com o propósito de enganar e iludir. Será um homem brilhante e encantador; um orador persuasivo e muito eloquente.

Orador persuasivo

"Também quis saber sobre os dez chifres da sua cabeça e sobre o outro chifre que surgiu para ocupar o lugar dos três chifres que caíram, o chifre que tinha olhos e *uma boca que falava com arrogância*." (Daniel 7.20)

Em hebraico, *hav* define coisas grandes; *hav-hav* — que aparece em Daniel 7 — representa algo extraordinário. Portanto, o discurso do anticristo terá um poder de convencimento irresistível; causará grande impacto nas multidões. Serão discursos chamejantes como os de Hitler nos filmes antigos, só que muito mais persuasivos e de alcance global. Diante do anticristo, Hitler parecerá um menino que briga por um brinquedo. Quando o anticristo se pronunciar por meio das mídias, será adorado por todos. As pessoas serão eletrizadas, hipnotizadas, por frases politicamente corretas, mas permeadas de dubiedades, a fim de obscurecer o pensamento de quem as ouvir.

Líder poderoso

A besta que vi era semelhante a um leopardo, mas tinha pés como os de urso e boca como a de leão. *O dragão*

A grande tribulação

deu à besta o seu poder, o seu trono e grande autoridade.
(Apocalipse 13.2)

De todas as criaturas de Deus, Satanás é a mais poderosa. Quando o líder dos seres angelicais, o arcanjo Miguel, ao discutir com o Diabo, disputava a respeito do corpo de Moisés, ele não ousou pronunciar juízo de maldição contra o inimigo, mas disse: "[...] 'O Senhor o repreenda!' " (Judas 9). Miguel agiu assim porque, antes da Queda, Lúcifer estava em posição hierárquica acima dele. Você e eu conseguiremos enfrentar o Diabo se — e somente se — estivermos debaixo da autoridade do nome que está sobre todo nome, o nome de Jesus. Portanto, não enfrentemos o Diabo com nossa própria força. Não somos nada perante ele. O menor dos demônios é capaz de acabar com qualquer cristão. No entanto, *na autoridade do nome de Jesus*, nem Satanás pode nos resistir.

O anticristo estará sob influência direta de Satanás. Será possessão em último grau. O espírito do Diabo se apoderará dele com grande autoridade, prodígios de enganos e mentiras.

O leão é considerado o "rei da selva" porque se comporta como um predador imbatível. Sua presença é temida por todos os animais, incluindo aqueles que são maiores e mais fortes. As hienas são um pouco menores do que as leoas. Se estiverem em grupos maiores, as hienas podem prevalecer contra as leoas, que chegam a abandonar a caça. Mas, quando apenas um leão — de 250 quilos — se aproxima, o bando de hienas não resiste e foge. A Bíblia está afirmando que o comportamento do anticristo será revestido da mesma voracidade dos leões. Seu discurso será tanto sedutor quanto aterrorizante. Suas ações convergirão para apenas um propósito: destruir a humanidade que não se converteu a Jesus.

Apocalipse

Você tem alguém na família que ainda não é cristão? Mesmo que seja duramente criticado, alerte-o sobre o arrebatamento da Igreja e a grande tribulação. Tenha uma conversa franca com ele. Avise-o de que as pessoas que ficarem na terra durante o fim dos tempos serão assoladas por tragédias inimagináveis, e os que sobreviverem terão de se render ao anticristo. A oportunidade é agora. Deus conta com você. Talvez a sua atitude de pregar o evangelho seja a última oportunidade das pessoas que ama.

Político hábil

> "Ele será sucedido por um ser desprezível, a quem não tinha sido dada a honra da realeza. Este invadirá o reino quando o povo se sentir seguro e se *apoderará do reino por meio de intrigas*." (Daniel 11.21)

A palavra traduzida por "intrigas" vem do radical hebraico *hha-láq*, cujo significado remete a agradar por meio de elogios artificiosos, promessas vazias, adulação, louvor falso, insincero ou excessivo, lisonja. Você já percebeu como os políticos usam a lisonja para convencer as pessoas? O anticristo usará a mesma tática — só que bem mais aperfeiçoada — para convencer as nações a seguir sua ideologia destrutiva.

> "Com o intuito de prosperar, ele enganará a muitos e se considerará superior aos outros. Destruirá muitos que nele confiam e se insurgirá contra o Príncipe dos príncipes. Apesar disso, ele será destruído, mas não pelo poder dos homens." (Daniel 8.25)

Quando Satanás foi criado por Deus, em suas vestes havia instrumentos musicais. Ele foi o primeiro adorador celestial; modelo de perfeição, cheio de sabedoria e de uma beleza perfeita (v. Ezequiel 28.12). Sua glória era majestosa "até que se achou maldade em você" (Ezequiel 28.15). A reação de Deus foi imediata: "Seu coração tornou-se orgulhoso por causa da sua beleza, e você corrompeu a sua sabedoria por causa do seu esplendor. Por isso eu o atirei à terra; fiz de você um espetáculo para os reis" (Ezequiel 28.17).

Embora Lúcifer tenha perdido a luz que adornava sua formosura, ele ainda é muito poderoso. Mesmo assim, perto de Deus, ele se torna uma formiga que tenta erguer o monte Everest. Apenas com um sopro, Jesus destrói o Diabo completamente. Se diante do mal não somos nada pela força humana, em Cristo somos revestidos de poder e autoridade sobrenaturais, a ponto de julgarmos os anjos no fim dos tempos (1Coríntios 6.3). Diremos a Satanás e seus demônios: "Culpados!".

Gênio financeiro

> "Mediante a sua sabedoria e o seu entendimento, você granjeou riquezas e acumulou ouro e prata em seus tesouros. Por sua grande habilidade comercial você aumentou as suas riquezas e, por causa das suas riquezas, o seu coração ficou cada vez mais orgulhoso." (Ezequiel 28.4,5)

O anticristo possuirá muitas riquezas. Ganhará dinheiro por sua inteligência, capacidade de gerir recursos e habilidade política. Muitos políticos enriquecem e multiplicam seu patrimônio em pouco tempo. Isso soa familiar?

O anticristo se sentará à mesa com os bilionários para decidir os destinos do mundo. Ele confiará na abundância de seus bens e se fortalecerá na perversidade (Salmos 52.7). As pessoas o honrarão como se fosse um deus, com ouro, prata, pedras preciosas e coisas agradáveis (v. Daniel 11.38).

Apocalipse

Líder militar

"Ele se tornará muito forte, mas não pelo seu próprio poder. Provocará devastações terríveis e será bem-sucedido em tudo o que fizer. Destruirá os homens poderosos e o povo santo." (Daniel 8.24)

O anticristo receberá autoridade para gerenciar o caos por meio do acordo de paz e terá um papel de destaque, como o de secretário-geral da ONU. A Otan — Organização do Tratado do Atlântico Norte — é uma aliança militar intergovernamental que tem exércitos próprios. Bem poderiam estar à disposição do anticristo para executar suas ordens. Esses exércitos se reunirão com outros exércitos no vale de Jezreel (Armagedom) para invadir Israel e aniquilar os judeus na grande tribulação.

Com todas essas habilidades, o anticristo manipulará o sistema político mundial e controlará a economia, com a substituição do papel-moeda por moedas criptografadas. Regerá um exército numeroso que atuará de forma implacável contra todos os que se opuserem à Nova Ordem Mundial. Será um líder altamente diplomático, um orador político de notável inteligência.

Uma das cabeças da besta parecia ter sofrido um ferimento mortal, mas o ferimento mortal foi curado. O mundo todo ficou maravilhado e seguiu a besta. Adoraram o dragão, que tinha dado autoridade à besta, e também adoraram a besta, dizendo: *"Quem é como a besta?* Quem pode guerrear contra ela?" (Apocalipse 13.3,4)

O falso profeta

Então vi outra besta que saía da terra, com dois chifres como cordeiro, mas que falava como dragão. Exercia toda

·98·

A grande tribulação

a autoridade da primeira besta, em nome dela, e fazia a terra e seus habitantes adorarem a primeira besta, cujo ferimento mortal havia sido curado. E realizava grandes sinais, chegando a fazer descer fogo do céu à terra, à vista dos homens. Por causa dos sinais que lhe foi permitido realizar em nome da primeira besta, ela enganou os habitantes da terra. Ordenou-lhes que fizessem uma imagem em honra à besta que fora ferida pela espada e contudo revivera. Foi-lhe dado poder para dar fôlego à imagem da primeira besta, de modo que ela podia falar e fazer que fossem mortos todos os que se recusassem a adorar a imagem. Também obrigou todos, pequenos e grandes, ricos e pobres, livres e escravos, a receberem certa marca na mão direita ou na testa, para que ninguém pudesse comprar nem vender, a não ser quem tivesse a marca, que é o nome da besta ou o número do seu nome. Aqui há sabedoria. Aquele que tem entendimento calcule o número da besta, pois é número de homem. Seu número é seiscentos e sessenta e seis. (Apocalipse 13.11-18)

Não existe nada mais perigoso do que um líder político que se une a um líder religioso. A "fé" é a arma perfeita para dominar as massas. Quando essa união é para o bem, as pessoas desfrutam bem-estar. Mas, se for para o mal, a destruição será inevitável.

O falso profeta estará ao lado do anticristo na tribulação. Será o segundo homem mais poderoso do mundo nessa época. Chegará a fazer sinais na presença do anticristo, o que consolidará seu sacerdócio. Apocalipse 13.11 revela que o falso profeta terá "dois chifres como cordeiro", mas falará como um dragão. A palavra "cordeiro" está relacionada diretamente ao sacerdócio. Quando João Batista viu Jesus, disse: "[...] 'Vejam! É o Cordeiro de Deus, que tira o pecado do mundo!' " (João 1.29). Jesus foi o sacerdote que ofereceu a si mesmo para tirar o pecado do mundo. O Cordeiro na Bíblia simboliza o líder

Apocalipse

sacerdotal, espiritual, bom, puro. Foi o animal usado como metáfora para descrever Jesus. Embora o falso profeta tenha a aparência de um cordeiro, ele agirá como um dragão — para destruir principalmente o povo judeu.

O falso profeta será um líder religioso em escala global. E é bem provável que seja dele o discurso que justificará a necessidade do acordo de paz — para dirimir quaisquer diferenças religiosas. Por esse motivo, até o baluarte cristão de que "Jesus é o caminho, a verdade e a vida" será refutado. A máxima de que "todos os caminhos levam a Deus" será a bandeira da nova religião proposta pelo falso profeta. O Deus único será substituído por deuses que agradam o coração do homem.

E qual será o impacto desse engano chamado sincretismo religioso? As pessoas sentirão dificuldade para se converter a Deus, pois não terão convicção de que ele é o único Deus, o "Eu Sou". Sabemos que "Não há salvação em nenhum outro, pois, debaixo do céu, não há nenhum outro nome dado aos homens pelo qual devamos ser salvos" (Atos 4.12). Como as pessoas pensarão assim se a nova religião disser o contrário?

Ravi Zacharias, evangelista e apologeta cristão nascido na Índia, foi convidado para pregar na Indonésia para muçulmanos na época do Natal. Ele se surpreendeu quando a plateia lhe disse: "Merry Christmas!" — o equivalente a Feliz Natal no Brasil. Nos Estados Unidos, e em países liberais, não é politicamente correto declarar aos outros o famoso cumprimento natalino. Para não ofender as demais religiões, todos são instruídos a dizer: "Happy Holidays!" — "Boas Festas!". Os valores religiosos estão se invertendo. Até o ambiente religioso — tradicionalmente mais ortodoxo — está sendo preparado para a influência do anticristo e do falso profeta.

A grande tribulação

As outras religiões não se queixam quando o cristão expressa sua fé em Deus. Mas, se o nome de Jesus é mencionado, tudo muda. De imediato, os ânimos se desequilibram. Todo mundo se mostra aborrecido, e as críticas caem como chuva torrencial. Já percebeu isso? Todavia, não importa como as pessoas reagem, só há um caminho que nos leva a Deus, só há um nome que salva os pecadores: *Yeshua Hamashia*. Acredite, durante a tribulação, essa reação maligna ao nome de Jesus se intensificará.

Haverá uma espécie de "trindade do mal" nesse período. Satanás contra Deus. O anticristo contra Jesus, além do que se buscará usurpar o lugar do Messias. E o falso profeta atuará como se fosse o Espírito Santo. Assim como o Espírito Santo dá glória a Jesus, o falso profeta glorificará o anticristo, que glorificará Satanás.

Como sabemos, a guerra entre o bem e o mal começou nos céus. Satanás perdeu o primeiro *round*, arrastando para a lona um terço dos anjos, que se tornaram os demônios que atormentam a humanidade. Quando Satanás percebeu que o Éden — que antes era dele — havia sido confiado ao homem, sua reação foi iludir Adão e Eva para que desobedecessem ao Criador. Ali, começou o segundo *round* da batalha espiritual, que foi vencido por Cristo na cruz do Calvário. Ainda falta o último *round*. E este será o combate final, a batalha do Armagedom, na qual Jesus derrotará o Diabo. E será por nocaute! Nós, a Igreja do Senhor, estaremos ao lado de Cristo. Aquela vitória também será nossa. Aleluia!

Por sermos pecadores, achamo-nos insignificantes. Posso fazer uma pergunta? Você aceitou Jesus como Senhor e Salvador? Então, não abaixe a cabeça. Pois, quando você

Apocalipse

vive na terra, os demônios sentem inveja de você e sabem que a autoridade do Messias está nas suas mãos. O anticristo ainda não se manifestou porque a Igreja está resistindo a ele com bravura.

A Igreja não pode se esquecer do papel que desempenha neste mundo. Deus ainda nos conclama:

> "Portanto, vão e façam discípulos de todas as nações, batizando-os em nome do Pai e do Filho e do Espírito Santo, ensinando-os a obedecer a tudo o que eu ordenei a vocês. E eu estarei sempre com vocês, até o fim dos tempos" (Mateus 28.19,20).

Ao pé do monte Hermom, em Cesareia de Filipe, o discípulo Pedro fez uma das declarações mais extraordinárias da Bíblia: "[...] 'Tu és o Cristo, o Filho do Deus vivo' " (Mateus 16.16). Para demonstrar a grandeza do que Pedro havia falado, Jesus usou uma pedra e disse:

> Respondeu Jesus: "Feliz é você, Simão, filho de Jonas! Porque isto não foi revelado a você por carne ou sangue, mas por meu Pai que está nos céus. E eu digo que você é Pedro, e sobre esta pedra edificarei a minha igreja, e as portas do Hades não poderão vencê-la" (Mateus 16.17,18).

Sobre a convicção de Pedro de que Jesus era o Messias, a Igreja será edificada, e as portas do inferno não prevalecerão contra ela. Jesus disse isso porque ali, em Banias, se considerava que havia uma porta para o Hades.[1]

---

[1] Banias, também chamada de Cesareia de Filipe, é um sítio arqueológico localizado na região de Golã em Israel. Foram encontrados ali diversos altares de adoração ao deus Pã. No local, há também uma gruta, a qual

A grande tribulação

O tempo da graça está terminando neste mundo. Quando a Igreja for levada pelo Noivo, a terra entrará em uma era de trevas, dor e desespero. Quanto mais pregarmos o evangelho, mais vidas serão livres da tribulação.

Em Sodoma, o anjo disse a Ló: " 'Fuja depressa, porque nada poderei fazer enquanto você não chegar lá' [...]" (Gênesis 19.22). O relato do livramento de Jó tipifica o que acontecerá em breve com a Igreja. Jesus ama tanto sua Igreja que só derramará o juízo final sobre a terra depois que o último crente tiver sido arrebatado. Subiremos em um dia e no outro a tribulação começará.

A pergunta é bem simples: "Você está preparado para esse dia?".

a tradição afirma que os pagãos acreditavam ser uma das entradas do Hades (Portas do Inferno). Jesus, portanto, usa o contexto geográfico para fazer a sua afirmação de que as portas do inferno não prevaleceriam contra a sua Igreja.

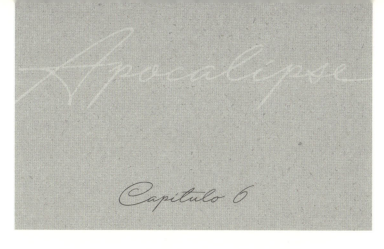

Quem será arrebatado?

Há muitas teorias — e discussões — sobre o *instante* em que acontecerá o arrebatamento. Alguns acreditam que será antes da tribulação, entre os quais eu me incluo. Outros defendem que a Igreja será levada no meio da tribulação ou no fim. No entanto, poucos se preocupam com a questão mais importante sobre o tema: *Quem será arrebatado?*

Para responder a essa pergunta, precisaremos conhecer o livro das lembranças ou memórias (do hebraico, *sefer zikaron*), descrito de forma singular em Malaquias:

> Depois, aqueles que temiam o Senhor conversaram uns com os outros, e o Senhor os ouviu com atenção. Foi escrito um *livro como memorial* na sua presença acerca dos que temiam o Senhor e honravam o seu nome. "No dia em que eu agir" [grande tribulação], diz o Senhor dos Exércitos, "eles serão o meu tesouro pessoal. Eu terei compaixão deles como um pai tem compaixão do filho que lhe obedece" (Malaquias 3.16,17).

Apocalipse

Antes de discorrer sobre o texto que lemos em Malaquias, precisamos analisar os seis livros mencionados na Bíblia: livro dos vivos, livro da vida, livro das lágrimas, livros das obras, livro dos sete selos e o livro das lembranças ou memórias sobre o qual teceremos mais detalhes.

Livro dos vivos[1]

> Sejam *riscados do livro dos vivos e não tenham registro com os justos.* (Salmos 69.28, *Almeida Revista e Atualizada*)

Todas as pessoas que nasceram na terra estão escritas no livro dos vivos, ou da vida, segundo algumas versões bíblicas, como a *Nova Versão Internacional.* Os rabinos dizem que nesse livro estão determinados o *destino* dos seres humanos. Em Salmos 139.16, Davi confirma isso, ao dizer: "Os teus olhos viram o meu embrião; todos os dias determinados para mim foram escritos no teu livro antes de qualquer deles existir ".

Portanto, o livro dos vivos relaciona o nome de todas as pessoas, estabelece quanto tempo viverão e que propósito Deus lhes reservou.

Livro da vida

> Sim, e peço a você, leal companheiro de jugo, que as ajude; pois lutaram ao meu lado na causa do evangelho, com Clemente e meus demais cooperadores. Os seus nomes estão no livro da vida. (Filipenses 4.3)

No livro da vida, só estão escritos os nomes daqueles que confessaram Jesus como Senhor e Salvador. Aí estão

[1] Bíblia Almeida com números de Strong.

registradas todas as pessoas que passarão a eternidade ao lado de Deus.

Livro das lágrimas

Registra, tu mesmo, o meu lamento;
recolhe as minhas lágrimas em teu odre;
acaso não estão anotadas em teu livro? (Salmos 56.8)

Os rabinos acreditam que há um livro onde todas as nossas lágrimas, as nossas dores e os nossos sofrimentos estão escritos. Afirmam que até o número de lágrimas que Deus permite cair dos nossos olhos está definido ali.

Livros das obras

Vi também os mortos, grandes e pequenos, em pé diante do trono, e livros foram abertos. Outro livro foi aberto, o livro da vida. Os mortos foram julgados de acordo com o que tinham feito, segundo o que estava registrado nos livros. (Apocalipse 20.12)

Todas as coisas que realizamos para Deus e por meio dele — as nossas obras — estão escritas em livros. O plural nos dá um vislumbre da quantidade incontável de registros ao longo da história humana. Todos esses livros serão abertos no fim dos tempos.

Livro dos sete selos

Então vi na mão direita daquele que está assentado no trono um livro em forma de rolo, escrito de ambos os lados e selado com sete selos. (Apocalipse 5.1)

Os selos que mantêm esse livro fechado serão abertos por Jesus durante a tribulação. À medida que o livro for aberto, os

Apocalipse

quatro cavaleiros do Apocalipse derramarão o juízo de Deus sobre toda a terra.

Jesus tem um ministério tríplice. Profeta, sacerdote e rei. Em sua primeira vinda, ele atuou como *profeta*, revelando tudo o que aconteceria aos homens. Hoje, no período da Igreja, Cristo intercede por nós na presença do Pai como *sumo sacerdote* (v. Hebreus 8). Quando o livro dos sete selos for aberto, Jesus iniciará seu ministério de *rei*.

Livro das memórias

Três perguntas surgem quando estudamos o livro das memórias descrito em Malaquias 3: "De quem Deus se lembra?", "Do que Deus se lembra?" e "Para que Deus se lembra?". Ao responder a essas perguntas, uma revelação nova se manifestará. Quem a descobriu foi Perry Stone, bispo da Church of God [Igreja de Deus], em Cleveland, Tennessee.

De quem Deus se lembra?

> Então Deus lembrou-se de Noé e de todos os animais selvagens e rebanhos domésticos que estavam com ele na arca, e enviou um vento sobre a terra, e as águas começaram a baixar. (Gênesis 8.1)

O fato de Deus ter se lembrado de Noé não significa que tivesse se esquecido dele. Por ser onisciente, Deus não se esquece de absolutamente nada. "Deus lembrou-se" traduz o instante que o Senhor estabeleceu para abençoar Noé com o fim do Dilúvio, assim como faz conosco em outras circunstâncias.

> Então Deus lembrou-se de Raquel. Deus ouviu o seu clamor e a tornou fértil. (Gênesis 30.22)

Mais uma vez, "Deus lembrou-se" estabelece o momento de o Senhor trazer a bênção. Raquel, que era estéril, concebeu e teve gêmeos, Esaú e Jacó.

> Ouviu Deus o lamento deles e lembrou-se da aliança que fizera com Abraão, Isaque e Jacó. (Êxodo 2.24)

No ápice da escravidão no Egito, Deus ouviu o clamor de seu povo, "lembrou-se" de sua aliança com Abraão, Isaque e Jacó e determinou o momento da bênção. Nesse caso, seria a libertação dos hebreus mediante a liderança de Moisés.

> Na manhã seguinte, eles se levantaram e adoraram o SENHOR; então voltaram para casa, em Ramá. Elcana teve relações com sua mulher Ana, e o SENHOR se lembrou dela. Assim Ana engravidou e, no devido tempo, deu à luz um filho. E deu-lhe o nome de Samuel, dizendo: "Eu o pedi ao SENHOR". (1Samuel 1.19,20)

Do que Deus se lembra?

> Atemorizado, Cornélio olhou para ele e perguntou: "Que é, Senhor?" O anjo respondeu: "Suas orações e esmolas subiram como oferta memorial diante de Deus. (Atos 10.4)

Cornélio, um italiano, foi o primeiro gentio a se converter. Por quê? Porque Deus se lembrou de suas orações e esmolas.

Conheci uma mulher que havia trabalhado em uma mansão ao lado de mais quatro empregados e um mordomo. A proprietária da residência era muitíssimo rica. No entanto, todos os empregados tinham que levar comida de casa. As pessoas que mais têm deveriam partilhar com quem nada tem. Mas nem sempre é o que acontece, principalmente quando a avareza entra em cena.

Apocalipse

O avarento tem o dinheiro como deus. Existem pessoas pobres que, quando recebem apenas uma cesta básica, ainda se prontificam a dividir com os outros. E existem ricos que acumularam riquezas para cinco gerações e são incapazes de ajudar o próximo. Definitivamente, a avareza não combina com o arrebatamento. Deus se lembra das boas ações feitas e daquelas boas ações que deixamos de fazer.

Então ele disse: "Jesus, lembra-te de mim quando entrares no teu Reino". Jesus lhe respondeu: "Eu garanto: Hoje você estará comigo no paraíso". (Lucas 23.42,43)

Deus também se lembra do testemunho da nossa fé. Em Lucas 23, temos o relato da crucificação de Jesus entre dois malfeitores. Um dos ladrões reconheceu que Jesus era o Filho de Deus — talvez seu único ato de justiça em toda a vida. Mas foi suficiente para que ele recebesse a salvação: "Hoje você estará comigo no paraíso".

Deus se lembra do dia em que confessamos Jesus como Senhor e Salvador. Deus se lembra quando declaramos ao mundo que Jesus é o caminho, a verdade e a vida; quando levamos um amigo diante dele para ouvir a Palavra e o encorajamos a viver a mesma santidade que vivemos.

Para que Deus se lembra?

Depois, aqueles que temiam o SENHOR conversaram uns com os outros, e o SENHOR os ouviu com atenção. Foi escrito um *livro como memorial* na sua presença acerca dos que temiam o SENHOR e honravam o seu nome. "No dia em que eu agir" [grande tribulação], diz o SENHOR dos Exércitos, "eles serão o meu tesouro pessoal. Eu terei compaixão deles como um pai tem compaixão do filho que lhe obedece. (Malaquias 3.16,17)

Quem será arrebatado?

Deus se lembra para nos poupar do dia de juízo que ele derramará sobre toda a terra. O contexto bíblico nos permite entender melhor esse princípio. Será que o livro de Malaquias está falando da volta de Jesus? Do juízo que virá? Veja o contexto a seguir:

> "Pois certamente vem o dia, ardente como uma fornalha. Todos os arrogantes e todos os malfeitores serão como palha, e aquele dia, que está chegando, ateará fogo neles", diz o SENHOR dos Exércitos. "Não sobrará raiz ou galho algum" (Malaquias 4.1).

A expressão "vem o dia, ardente como uma fornalha" faz uma referência ao "dia do SENHOR" que, em todo o Antigo Testamento, descreve o período de juízo, ou seja, a grande tribulação. E a prova cabal está no versículo 5: "Vejam, eu enviarei a vocês o profeta Elias antes do grande e temível dia do SENHOR".

Todo judeu confesso reconhece que o profeta Elias precederá a vinda do Messias. No livro de Apocalipse, está escrito que duas testemunhas profetizarão durante a grande tribulação (Apocalipse 11.2). Uma delas certamente será Elias. Primeiro, porque está profetizado no Antigo Testamento (Malaquias 4.5,6); segundo, porque ele não morreu; e essas duas testemunhas são pessoas que, provavelmente, não passaram pela morte. Podem ser Elias e Enoque, ou Elias e Moisés. Não podemos determinar com precisão.

O mais importante é que, em Malaquias, Deus está revelando que ele se lembrará daquele que o teme, que confessa o seu nome, para poupá-lo: "[...] Eu terei compaixão deles como um pai tem compaixão do filho que lhe obedece" (3.17). Mais claro do que isso, impossível! Deus está garantindo que nós

Apocalipse

— a Igreja — seremos poupados do grande e terrível dia do Senhor. Literalmente poupados.

> "Visto que você guardou a minha palavra de exortação à perseverança, eu também o guardarei da hora da provação que está para vir sobre todo o mundo, para pôr à prova os que habitam na terra." (Apocalipse 3.10)

Como já falamos, neste texto, afirma-se que Deus guardará da hora, pois João usou o prefixo grego *ex*, que significa "para fora". E não há dúvida de que João está citando a grande tribulação. Mas Deus está prometendo que guardará todas as pessoas? Não. Então, quem ele guardará da hora? Somente aqueles que guardarem a "a minha palavra de exortação à perseverança".

Aqui começa o ponto da virada sobre este tema

Eu reconheço que mudei a minha opinião a respeito do arrebatamento da Igreja. Durante muitos anos no meu ministério pastoral, sinceramente acreditei que todo cristão confesso seria arrebatado. Hoje, não penso mais assim. Depois de muitos estudos bíblicos, análise de comentários escatológicos, percebi que o arrebatamento será um privilégio somente *de quem guarda a Palavra de Deus*. Por meio de vários textos bíblicos, você também compreenderá que ser salvo não é garantia de ser arrebatado.

Todos os textos que tratam da volta de Jesus também alertam sobre a necessidade de "guardar a Palavra". Isso quer dizer que somente quem está guardando a Palavra e vivendo a Palavra é que se encontrará com Jesus nos ares.

Portanto, se você se converteu a Jesus, mas ainda mantém pecados no coração (os quais chamamos de "pecados de estimação"), não será arrebatado. Ainda dá tempo de se arrepender e lançar fora esse pecado. Mas não demore muito. A volta de Cristo para resgatar sua Igreja está mais próxima do que imaginamos. Dentro da Igreja, vemos pecados iguais aos que são cometidos em ambientes pervertidos. O pior é que os "cristãos" que agem assim se sentem confortáveis na Igreja, considerando que podem amar a Deus e continuar vivendo no engano. Não podem!

Todos nós somos pecadores. Entretanto, há um abismo entre aquele que peca *eventualmente* e aquele que peca *continuamente*. Quem vive para Deus, quando comete um erro, sente um peso absurdo de tristeza por ter desagradado ao Senhor. Já quem peca e não sente nada, quem peca e acha o pecado algo normal, está caminhando a passos largos para a apostasia.

A promessa em Apocalipse 3.10 é para quem teme ao Senhor e guarda sua Palavra. A esta altura, alguém certamente poderá me questionar: "Aquele versículo em Apocalipse não foi destinado à igreja em Filadélfia? Não seria para outro período da Igreja?".

Vamos à resposta. Todas as sete cartas de Apocalipse são concluídas por Jesus com a mesma advertência: "Aquele que tem ouvidos ouça o que o Espírito diz às igrejas". Repare que Jesus usou o plural "às igrejas". Ele escreveu dessa forma porque o conteúdo das cartas deve envolver todas as igrejas; as igrejas de ontem, as igrejas de hoje. Trata-se, portanto, de recomendações feitas à igreja como um todo.

Precisamos nos arrepender. Se Jesus voltar hoje, estaremos com ele? Deus é fiel e justo para nos perdoar os pecados e nos purificar de toda injustiça (cf. 1João 1.9). Mas não existe perdão sem arrependimento. E arrependimento requer mudança de vida, mente transformada.

Apocalipse

Há muitas pessoas salvas que não subirão no arrebatamento. Alcançamos a salvação por meio da fé sincera em Jesus, no entanto só seremos arrebatados se houver em nós *fidelidade* à Palavra. Os fiéis serão levados por Cristo, somente os fiéis.

Para provar que a fidelidade será condição imprescindível para o arrebatamento, analisarei alguns textos bíblicos que esclarecem o assunto.

> "Quem é, pois, o servo fiel e sensato, a quem seu senhor encarrega dos demais servos de sua casa para lhes dar alimento no tempo devido? Feliz o servo que seu senhor encontrar fazendo assim quando voltar. Garanto que ele o encarregará de todos os seus bens. Mas suponham que esse servo seja mau e diga a si mesmo: 'Meu senhor está demorando', e então comece a bater em seus conservos e a comer e a beber com os beberrões. O senhor daquele servo virá num dia em que ele não o espera e numa hora que não sabe. Ele o punirá severamente e lhe dará lugar com os hipócritas, onde haverá choro e ranger de dentes." (Mateus 24.45-50)

Um proeminente escatólogo do Seminário Teológico de Dallas afirma que o final dessa parábola ("choro e ranger de dentes") não está fazendo menção ao inferno. Na verdade, o contexto é da grande tribulação. Jesus está dizendo que o servo infiel será surpreendido pela volta de seu senhor; será castigado e lançado com os hipócritas; e não estará presente no arrebatamento.

> "O Reino dos céus será, pois, semelhante a dez virgens que pegaram suas candeias e saíram para encontrar-se com o noivo. Cinco delas eram insensatas, e cinco eram prudentes. As insensatas pegaram suas candeias, mas não levaram óleo. As prudentes, porém, levaram óleo em

vasilhas, junto com suas candeias. O noivo demorou a chegar, e todas ficaram com sono e adormeceram. À meia-noite, ouviu-se um grito: 'O noivo se aproxima! Saiam para encontrá-lo!' Então todas as virgens acordaram e prepararam suas candeias. As insensatas disseram às prudentes: 'Deem-nos um pouco do seu óleo, pois as nossas candeias estão se apagando'. Elas responderam: 'Não, pois pode ser que não haja o suficiente para nós e para vocês. Vão comprar óleo para vocês'. E saindo elas para comprar o óleo, chegou o noivo. As virgens que estavam preparadas entraram com ele para o banquete nupcial. E a porta foi fechada. Mais tarde vieram também as outras e disseram: 'Senhor! Senhor! Abra a porta para nós!' Mas ele respondeu: 'A verdade é que não as conheço!' Portanto, vigiem, porque vocês não sabem o dia nem a hora!" (Mateus 25.1-13)

A parábola das dez virgens explica de forma lúdica o casamento da Igreja com Cristo, ou seja, as bodas do Cordeiro que serão realizadas no céu durante os sete anos de tribulação na terra. Quando o Noivo chega, cinco virgens estão preparadas com óleo nas lâmpadas; as outras virgens porque foram irresponsáveis e negligentes, não entram para as bodas.

Há quem considere que as cinco virgens despreparadas sejam Israel. Mas essa afirmação não se sustenta. O texto diz que todas as virgens deviam estar preparadas para o noivo. Além do mais, entende-se na Bíblia por bodas do Cordeiro o casamento de Jesus com sua noiva, a Igreja. Israel representa a "esposa" do Deus Pai, ao passo que a Igreja, a "noiva" do Deus Filho. Portanto, o contexto bíblico não deixa sombra de dúvida: precisamos nos preparar para a vinda de Jesus no arrebatamento.

Os cristãos que relativizam a Bíblia riem quando ouvem mensagens sobre o arrebatamento da Igreja. Até mesmo alguns pastores orientam suas ovelhas de que Jesus já veio e não

Apocalipse

voltará mais. Voltará, sim, porque ele prometeu! E quem não se preparar será deixado para ser provado na grande tribulação.

Em Apocalipse 4.1, João viu "uma porta aberta no céu" e uma voz como de trombeta, dizendo: "[...] 'Suba para cá, e mostrarei a você o que deve acontecer depois dessas coisas' ". A porta aberta é o arrebatamento. A Igreja sobe, e a porta se fecha.

Uma pergunta precisa ser respondida: "Quem não for arrebatado com a Igreja — sendo crente ou não —, poderá se arrepender durante a tribulação e se salvar?". Sim, poderá. No entanto, terá de perseverar na fé, mesmo se tiver que escolher entre a vida e a morte.

Imagine um soldado do anticristo colocando uma arma na cabeça de um de seus filhos. Sei que é difícil imaginar uma cena tão pavorosa, mas tente. Em seguida, o soldado — com sangue nos olhos — diz: "Se você não negar Jesus, eu vou matar seu filho agora!". Seja sincero. O que você faria? Muitos de nós negaríamos Jesus por amor ao filho. "Deus entenderá que eu não tinha escolha", talvez você pense. Contudo, posso garantir que Deus não aceitará suas desculpas.

Para que ninguém precise passar por isso, a oportunidade de viver para Jesus, em fidelidade à sua Palavra, é agora. Porque, quando ele vier, aqueles que não estiverem preparados para o encontro com o Noivo não subirão.

> "E também será como um homem que, ao sair de viagem, chamou seus servos e confiou-lhes os seus bens. A um deu cinco talentos, a outro dois, e a outro um; a cada um de acordo com a sua capacidade. Em seguida partiu de viagem. O que havia recebido cinco talentos saiu imediatamente, aplicou-os, e ganhou mais cinco. Também o que tinha dois talentos ganhou mais dois. Mas o que tinha recebido um talento saiu, cavou um buraco no chão e escondeu o

dinheiro do seu senhor. Depois de muito tempo o senhor daqueles servos voltou e acertou contas com eles. O que tinha recebido cinco talentos trouxe os outros cinco e disse: 'O senhor me confiou cinco talentos; veja, eu ganhei mais cinco'. O senhor respondeu: 'Muito bem, servo bom e fiel! Você foi fiel no pouco, eu o porei sobre o muito. Venha e participe da alegria do seu senhor!' Veio também o que tinha recebido dois talentos e disse: 'O senhor me confiou dois talentos; veja, eu ganhei mais dois'. O senhor respondeu: 'Muito bem, servo bom e fiel! Você foi fiel no pouco, eu o porei sobre o muito. Venha e participe da alegria do seu senhor!' Por fim, veio o que tinha recebido um talento e disse: 'Eu sabia que o senhor é um homem severo, que colhe onde não plantou e junta onde não semeou. Por isso, tive medo, saí e escondi o seu talento no chão. Veja, aqui está o que pertence ao senhor'. O senhor respondeu: 'Servo mau e negligente! Você sabia que eu colho onde não plantei e junto onde não semeei? Então você devia ter confiado o meu dinheiro aos banqueiros, para que, quando eu voltasse, o recebesse de volta com juros. 'Tirem o talento dele e entreguem-no ao que tem dez. Pois a quem tem, mais será dado, e terá em grande quantidade. Mas a quem não tem, até o que tem lhe será tirado. E lancem fora o servo inútil, nas trevas, onde haverá choro e ranger de dentes'." (Mateus 25.14-30)

A parábola dos talentos reflete o mesmo contexto, a volta de Jesus. Só que, nesse texto, o dinheiro é o tema principal. Tudo o que temos ou, como costumamos dizer, "tudo o que conquistamos", não é nosso, mas de Deus. Não somos nada mais do que servos, mordomos que administram os "talentos" do Senhor. É por isso que precisamos aprender a investir na obra de Deus, para que mais vidas ouçam que Jesus Cristo é o Senhor e se convertam com a mensagem da cruz.

Agora, se você é daqueles que têm medo de perder e enterra os talentos do Senhor, escute bem o que Jesus está dizendo:

Apocalipse

"Então você devia ter confiado o meu dinheiro aos banqueiros, para que, quando eu voltasse, o recebesse de volta com juros". Até aqui, tudo bem; o problema é que Jesus continua: "E lancem fora o servo inútil, nas trevas, onde haverá choro e ranger de dentes". Quem for fiel, entrará no gozo do Senhor. Quem não for, terá de se acostumar com a tribulação.

> "Não se perturbe o coração de vocês. Creiam em Deus; creiam também em mim. Na casa de meu Pai há muitos aposentos; se não fosse assim, eu teria dito a vocês. Vou preparar lugar para vocês. E, quando eu for e preparar lugar, voltarei e os levarei para mim, para que vocês estejam onde eu estiver." (João 14.1-3)

A promessa feita por Jesus aos discípulos em João 14 diz respeito a um casamento em Israel. Ao pedir uma moça em casamento, o jovem judeu deveria levar duas coisas: uma garrafa de vinho e um testamento com a descrição de tudo o que a noiva receberia dele. Durante a última ceia, Jesus disse que estava estabelecendo uma nova aliança com a Igreja (cf. Lucas 22.20) — uma aliança de casamento; e o testamento é o Novo Testamento.

Segundo historiadores, na Páscoa judaica cada participante deveria tomar quatro cálices de vinho. Mas Jesus não tomou o último cálice — o da celebração —, pois disse: "[...] não beberei outra vez do fruto da videira até que venha o Reino de Deus" (Lucas 22.18).

"E, quando eu for e preparar lugar, voltarei e os levarei para mim, para que vocês estejam onde eu estiver" (João 14.3) — são as promessas que o Noivo está fazendo à noiva. Jesus garante que voltará para nos buscar no dia do arrebatamento. Em seguida, nos versículos 14 e 15, Jesus define sua promessa à Igreja e como deveriam agir aqueles que serão recebidos por ele: "O que vocês pedirem em meu nome, eu farei. Se vocês me amam, obedecerão aos meus mandamentos".

Para quem Jesus virá? Para os fiéis. Confessar a Jesus nos traz salvação, mas entrar no arrebatamento (a promessa dos que estão escritos no livro das memórias) será para os que temem ao Senhor e guardam seus mandamentos. A salvação é pela *graça*; mas o privilégio de não passar pela tribulação é pela *fidelidade*.

Como podemos ter certeza de que seremos arrebatados?

É simples. A convicção virá quando abandonarmos o pecado. Quem vive em pecado, está avisado: não será arrebatado. Portanto, quando acontecer, ninguém poderá dizer que "não sabia". Em todos os textos bíblicos que comentam a volta de Jesus, a advertência é a mesma: "Prepare-se! Seja fiel!".

Quem manteria o noivado com uma mulher (ou homem) que dissesse que não seria fiel? Você manteria? Então, por que esperamos que Jesus receba uma Igreja infiel? Uma Igreja que não está se preparando para a chegada do Noivo? Jesus voltará somente para quem o ama e, por isso, guarda seus mandamentos.

Não sabemos o dia nem a hora em que Jesus arrebatará sua Igreja. Portanto, qualquer que seja o seu pecado, confesse-o logo. Confesse-o agora! Pois "Quem esconde os seus pecados não prospera, mas quem os confessa e os abandona encontra misericórdia" (Provérbios 28.13).

Por que será que os judeus não serão arrebatados, se eles são o povo escolhido de Deus? Porque não foram fiéis a Deus ao não reconhecer Jesus como o Messias. Por isso, terão de

passar pela grande tribulação. No fim dos dias, Israel, como nação, será salva na segunda vinda de Cristo. Todavia, não serão arrebatados.

"Estejam prontos para servir e conservem acesas as suas candeias, como aqueles que esperam seu senhor voltar de um banquete de casamento; para que, quando ele chegar e bater, possam abrir-lhe a porta imediatamente. Felizes os servos cujo senhor os encontrar vigiando, quando voltar. Eu afirmo que ele se vestirá para servir, fará que se reclinem à mesa, e virá servi-los. Mesmo que ele chegue de noite ou de madrugada, felizes os servos que o senhor encontrar preparados. Entendam, porém, isto: se o dono da casa soubesse a que hora viria o ladrão, não permitiria que a sua casa fosse arrombada. Estejam também vocês preparados, porque o Filho do homem virá numa hora em que não o esperam". Pedro perguntou: "Senhor, estás contando esta parábola para nós ou para todos?" O Senhor respondeu: "Quem é, pois, o administrador fiel e sensato, a quem seu senhor encarrega dos seus servos, para lhes dar sua porção de alimento no tempo devido? Feliz o servo a quem o seu senhor encontrar fazendo assim quando voltar. Garanto que ele o encarregará de todos os seus bens. Mas suponham que esse servo diga a si mesmo: 'Meu senhor se demora a voltar', e então comece a bater nos servos e nas servas, a comer, a beber e a embriagar-se. O senhor daquele servo virá num dia em que ele não o espera e numa hora que não sabe e o punirá severamente e lhe dará um lugar com os infiéis. Aquele servo que conhece a vontade de seu senhor e não prepara o que ele deseja, nem o realiza, receberá muitos açoites". (Lucas 12.35-47)

A Bíblia nos apresenta diferenças significativas entre o arrebatamento da Igreja e a segunda vinda de Cristo. Compreender essas diferenças nos permite identificar nossa posição dentro do plano de salvação.

Quem será arrebatado?

O arrebatamento acontecerá nos ares (1Tessalonicenses 4.17); a segunda vinda acontecerá na terra (Zacarias 14.4). O arrebatamento não será visto por ninguém (1Tessalonicenses 5.2); a segunda vinda será vista por todos (Mateus 24.27-31). Jesus quer que estejamos prontos para o dia do arrebatamento. Mas isso só acontecerá se guardarmos sua Palavra e andarmos em fidelidade e santidade. Caso contrário, saberemos do arrebatamento por intermédio da mídia.

Santidade não se refere apenas à moral. Muitos cristãos se vangloriam porque não traem seu cônjuge ou vivem uma vida pura do ponto de vista sexual. No entanto, odeiam o próximo, sentem raiva dos outros, nunca perdoam, são avarentos, vivem reclamando de tudo. Se alguém age assim, como estará pronto para o arrebatamento? Simplesmente, não estará.

Há um fenômeno preocupante que cresce muito no cenário cristão. Os teólogos o chamam de "gracismo", que ocorre quando os líderes retiram do convertido a responsabilidade de andar em santidade. Com isso, a permissividade tem contaminado as igrejas, e o pecado tem sido aceito com naturalidade. Não existe a menor possibilidade de Deus aceitar que o pecado ande de mãos dadas com a vida cristã. Não podemos fechar os olhos para as advertências do Senhor. Se não nos santificarmos, seremos deixados para trás.

Deus nunca agirá contra sua Palavra. Quem não estiver pronto naquele dia, não subirá. Não se esqueça de que Jesus usou a figura do casamento para representar o arrebatamento da Igreja. Assim como a infidelidade da noiva impossibilita o casamento, da mesma forma, se formos infiéis, não participaremos das bodas do Cordeiro.

Apocalipse

Deus espera fidelidade da Igreja. Nesse sentido, não podemos adiar mais. Está mais que na hora de nos arrependermos dos nossos pecados e nos consagrarmos a Deus. Jesus está voltando. E, quando ele chegar, receberá somente aqueles que são fiéis, "aqueles que temem o seu nome", como diz o livro das memórias.

Os cristãos relativizam tanto a vontade de Deus que já nem se lembram mais do que significa "temer ao Senhor". Não conseguem perceber a grandeza do Todo-poderoso.

Dizem que, durante um safári na África, muitos animais passam bem perto do veículo que transporta os turistas. Em relação aos felinos, às zebras e às girafas, ninguém fica preocupado, pois o veículo os protege bem desses animais. No entanto, quando um elefante de 6 toneladas se aproxima... todos — até os mais experientes — se sentem frágeis, indefesos e temerosos. Uma trombada leve do elefante arremessa qualquer veículo aos ares.

Temer a Deus é assim. Não só sabemos que ele é um Pai amoroso, como também reconhecemos que ele possui tanto poder que nada pode resistir à sua vontade.

O que garante que estaremos presentes no arrebatamento? Reconhecer Jesus como único Senhor e Salvador e viver em fidelidade — guardando sua Palavra e obedecendo aos mandamentos. Só assim seremos protegidos *da hora* da provação que virá sobre o mundo inteiro (v. Apocalipse 3.10).

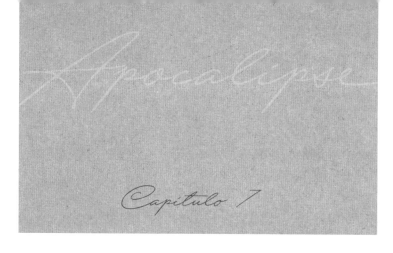

Panorama de Apocalipse

Nunca foi tão necessário, como nos dias de hoje, conhecer a Palavra e discernir o mundo em que vivemos. O espírito de engano está crescendo e atuando em todas as esferas da sociedade. Lamentavelmente, isso ocorre até dentro de igrejas renomadas.

Alguns pastores — que já foram líderes nacionais — estão manchando o ministério cristão, pois pregam um "evangelho de apostasia". Definem para a Igreja um propósito totalmente diferente da missão original que nos foi confiada por Jesus. Alguns chegam a assumir posição contrária a Israel; outros ridicularizam aqueles que creem na segunda vinda de Cristo. Resultado: os cristãos que não têm conhecimento bíblico perecem. "Meu povo foi destruído por falta de conhecimento [...]" (Oseias 4.6.)

Precisamos conhecer a Bíblia para ter uma visão mais acurada do desfecho que Deus preparou para a humanidade.

Apocalipse

Um panorama do livro de Apocalipse nos ajudará a compreender o que acontecerá no fim dos dias. Isso fortalecerá nossa convicção sobre o arrebatamento, bem como nos despertará para pregar o evangelho àqueles que ainda se mantêm com os olhos fechados para a verdade.

A visão, as coisas que são, as sete igrejas
Cap. 1–3

Em Apocalipse 1.1-8, o apóstolo João, basicamente reconhece que Jesus Cristo é o autor de toda aquela revelação; estabelece o propósito do livro; e cumprimenta os destinatários — as sete igrejas da Ásia. Nos versículos 9-20, João descreve de que forma recebeu a visão — foi arrebatado em espírito, e viu o próprio Jesus: cabelos brancos como a lã, olhos como chamas de fogo. Em seguida, Jesus explica como João deve compor a visão: "Escreva, pois, as coisas que você viu, tanto as presentes como as que acontecerão" (1.19).

As coisas vistas. Tema central da revelação, ou seja, Jesus Cristo. Portanto, o livro de Apocalipse trata, em primeiro lugar, da pessoa de Jesus. Depois, a profecia se estende para os acontecimentos do fim dos dias.

Coisas presentes. Descrevem três situações que se relacionam: as circunstâncias que envolveram as sete igrejas (que de fato existiram naquele tempo) localizadas em cidades da Ásia Menor; os sete períodos da Igreja no decorrer da História; e os sete tipos de crentes que congregam na Igreja.

A partir do capítulo 4, João vê uma porta aberta no céu e é chamado por uma voz como de trombeta: "[...] 'Suba para cá, e mostrarei a você o que deve acontecer depois dessas coisas' " (4.1). Foi como se João presenciasse o arrebatamento da Igreja. É por isso que, a partir daquele momento, a palavra "igreja" não aparece mais nos capítulos seguintes.

A meu ver, estamos no tempo em que Filadélfia e Laodiceia convivem juntas. Filadélfia simboliza a igreja verdadeira, do amor fraterno. Laodiceia, que significa justiça do povo (*laos, dikaios*), representa a igreja em que os homens acreditam em sua própria justiça, não na justificação que vem de Cristo; é o homem que ocupa o centro, não Deus.

As sete igrejas	
Éfeso	A igreja preocupada
Esmirna	A igreja perseguida
Pérgamo	A igreja mista
Tiatira	A igreja negligente
Sardes	A igreja sem poder
Filadélfia	A igreja perseverante
Laodiceia	A igreja morna

O trono de Deus

Cap. 4

Ao ser arrebatado, João logo contempla o trono de Deus cercado por mais 24 tronos — com 24 anciãos sentados. Muito se discute sobre quem serão esses anciãos. Para mim, serão todos representantes da Igreja. Alguns teólogos acreditam que 12 desses tronos estarão reservados para os líderes das tribos de Israel. Mas não há respaldo bíblico de que os judeus irão se sentar em tronos ou algo semelhante. Agora, a Bíblia confirma

Apocalipse

que os crentes verdadeiros serão sacerdotes de Deus e de Cristo e reinarão com ele (v. Apocalipse 5.10; 20.6). Diante do trono, os anciãos lançam para o Cordeiro suas coroas — os galardões recebidos por suas obras realizadas na terra.

Os sete selos

Cap. 5—8

João ouve um anjo clamar: "[...] 'Quem é digno de romper os selos e de abrir o livro?' " (5.2). João chorava muito, porque ninguém era digno de abrir o livro nem de olhar para ele (5.4). Um dos anciãos tentou acalmá-lo: "[...] 'Não chore! Eis que o Leão da tribo de Judá, a Raiz de Davi, venceu para abrir o livro e os seus sete selos' " (5.5).

Nesse momento, João vê, entre o trono e os quatro seres viventes, o Cordeiro (como havendo sido morto), que pegou o livro das mãos do que estava assentado sobre o trono (5.6,7). Nos céus, Jesus terá o mesmo corpo glorificado de quando ressuscitou. Apesar de sua glória e majestade, as marcas dos cravos ainda estarão em suas mãos e seus pés — marcas incontestáveis da nossa salvação pela graça. Quando estivermos diante do Cordeiro naquele dia, teremos plena consciência de que nunca fomos merecedores de nada e nos lembraremos das palavras de Paulo: "Pois vocês são salvos pela graça, por meio da fé, e isto não vem de vocês, é dom de Deus" (Efésios 2.8).

Prostrados diante do Rei dos reis, *flashes* da nossa vida — pecados, escolhas erradas, tudo que poderíamos ter feito pelo Senhor, mas não fizemos — passarão diante dos nossos olhos. As lágrimas descerão. Gentilmente, Jesus nos dirá: "[...] 'Venham, benditos de meu Pai! Recebam como herança o

Reino que foi preparado para vocês desde a criação do mundo" (Mateus 25.34). Este é o nosso destino: estar no céu, na presença do Salvador Jesus.

Cada selo quebrado por Jesus dá início a um tempo de juízo sobre a terra, trazido por um cavaleiro celestial. Podemos resumir os sete selos da seguinte forma:

Os sete selos	
Primeiro	Cavalo branco — *Poder do anticristo*
Segundo	Cavalo vermelho — *Guerra e perseguição*
Terceiro	Cavalo preto — *Fome devastadora*
Quarto	Cavalo pálido — *Peste e morte*
Quinto	Almas sobre o altar — *Mártires*
Sexto	Grande terremoto — *Destruição*
Sétimo	Incensário de ouro — *Silêncio no céu*

O quarto selo, nas versões bíblicas em inglês, descreve o cavalo como "pálido". No entanto, a melhor tradução deveria ser "verde", pois a palavra grega usada por João ao descrever aquela cena é *cloros*, ou seja, verde, como em *clorofila*. Você deve estar se perguntando: "Então, por que os tradutores escreveram amarelo ou pálido?". Simplesmente, porque eles tentaram empregar uma referência mais próxima da realidade. Na natureza, há cavalo branco, avermelhado, malhado e preto; não há nada parecido com um cavalo verde.

Esse ajuste na tradução abre uma nova perspectiva escatológica. Verde é a cor do islã. E as quatro cores dos cavalos em Apocalipse 6 (branco, vermelho, preto e "verde") estão presentes na maioria das bandeiras dos países islâmicos. Portanto, é possível que a atuação dos quatro cavaleiros reflita a difusão e

Apocalipse

a influência do islamismo no fim dos tempos. Quando a Igreja for arrebatada, o islamismo será a religião predominante — até que o anticristo proponha o sincretismo religioso. Se hoje os muçulmanos já são a maioria religiosa em nações antes ditas "cristãs", imagine quando a Igreja não estiver mais por aqui!

A partir do momento em que o anticristo começar a governar, a realidade social mudará por completo. Todas as pessoas, sem exceção, deverão ter a "marca da besta" — para a qual existem várias possibilidades, como comentei em capítulo anterior. Contudo, há uma alternativa bem convincente para a marca da besta. O cristão Walid Shoebat, ex-terrorista islâmico, percebeu que há uma relação importante entre o deus muçulmano, Alá, e o número da besta, 666. De acordo com Walid, as letras gregas usadas por João para escrever o número 666 — X (χ), E (ξ), S (ς) — se aproximam muito da expressão mais usada em árabe, "Bismillah", que significa "Em nome de Alá".[1]

Profundo conhecedor da cultura e história árabes, Walid explica que, quando os muçulmanos vão à guerra, colocam uma bandana (um lenço que cobre a testa) na cabeça e na mão direita, com a inscrição "Bismillah", exatamente onde deverá estar a marca da besta. *Chip*, nanorrobô, bandana— todas são possibilidades de marcas da besta para as quais não temos certeza absoluta. Entretanto, uma coisa é certa: quem aceitar e receber essa marca, não será salvo durante a tribulação. Quem recusar a marca da besta por amor a Jesus, perderá a vida, mas ganhará a salvação eterna.

Eis a origem dos mártires, a grande multidão que aparecerá no céu quando o quinto selo for aberto (6.9-11): "[...] 'Estes são os que vieram da grande tribulação, que lavaram as suas vestes e as alvejaram no sangue do Cordeiro" (7.14).

---

[1] SHOEBAT, Walid; RICHARDSON, Joel. **God's War on Terror:** Islam, Prophecy and the Bible. 2. ed. Top Executive Media, 2008. Capítulo 80.

Portanto, haverá salvação na tribulação. As duas testemunhas e os 144 mil judeus pregarão o evangelho, e milhares de pessoas, famílias inteiras, se renderão a Cristo. No entanto, suas vidas serão ceifadas e morrerão pelo nome de Jesus.

À medida que os selos são abertos, mais intenso se revela o juízo de Deus. E nem chegamos ainda às trombetas, aos cálices e às pragas...

O sexto selo será o anúncio de um terremoto devastador sobre toda a terra. João usa o prefixo grego *mega*, que exprime uma noção de grandeza, algo muito acima do normal. Isso significa que as estruturas do Planeta serão profundamente abaladas. Em 1960, o maior terremoto da História foi registrado no Chile. Um tremor de 9,5 na escala Richter destruiu a cidade de Valdívia, no sul do país, com cerca de 6 mil mortos. O megaterremoto profetizado em Apocalipse estará além das medidas da escala Richter! Essa será uma contribuição da terra para o juízo divino.

No sétimo selo, acontece algo inusitado, "houve silêncio nos céus cerca de meia hora" (8.1). Os salvos, que estarão no céu levados pelo arrebatamento, ficarão perplexos com a revelação do que sucederá na grande tribulação.

Em seguida, "Outro anjo, que trazia um incensário de ouro, aproximou-se e ficou em pé junto ao altar. A ele foi dado muito incenso para oferecer com as orações de todos os santos sobre o altar de ouro diante do trono" (8.3).

O incenso simboliza as orações dos santos, daqueles que estão passando pela tribulação. Às vezes, imaginamos que Deus não ouve as nossas orações. Mas todas as orações sinceras — até mesmo as realizadas na tribulação — chegam a Deus como aroma suave.

Apocalipse

As sete trombetas

Cap. 8—11

Ao toque da *primeira trombeta*, cairá uma intensa chuva de granizo e fogo misturado com sangue (8.7). Ao toque da *segunda trombeta*, um meteoro invadirá a atmosfera terrestre e, ao cair sobre o mar, destruirá a terça parte dos animais marinhos (8.8,9). Cientistas especulam que os dinossauros foram extintos por causa de um meteoro que caiu na península de Iucatã, no golfo do México, há milhões de anos. O meteoro da grande tribulação será muitas vezes pior. Provavelmente, *tsunamis* arrasem centenas de cidades costeiras.

Ao toque da *terceira trombeta*, mais um asteroide ameaçará a terra, só que agora cairá sobre o continente, afetando rios e lagos e prejudicando sensivelmente o abastecimento de água (8.10,11). Apocalipse dá a entender que, na tribulação, a terra ficará exposta a intempéries astronômicas. É possível que o escudo eletromagnético que envolve e protege o nosso planeta sofra alguma alteração física e tenha sua capacidade de proteção prejudicada.

Quando essas catástrofes acontecerem, as pessoas praguejarão contra o Senhor: "Por que Deus permitiu que milhares de pessoas morressem?", o que será mais uma justificativa para o anticristo propor uma religião sincrética e abolir Deus do coração humano. Veja como será difícil se arrepender durante a tribulação. Haverá salvação — volto a repetir —, mas a maioria se voltará contra o Criador. Mesmo na dor lacerante, rejeitarão Jesus.

O brilho do Sol diminuirá 30% ao som da *quarta trombeta* (8.12,13). Podemos deduzir que seja consequência dos meteoros que terão caído antes. Milhões de toneladas de poeira lançadas na atmosfera bloquearão os raios solares.

Panorama de Apocalipse

A temperatura média do ar despencará; as plantações e as lavouras secarão; a escassez dominará a paisagem, e a fome fará vítimas por todos os lados.

Ao toque da *quinta trombeta*, uma praga de gafanhotos — com poder semelhante ao do escorpião venenoso — invadirá a terra para perseguir e causar danos terríveis (sem matar) aos seres humanos durante cinco meses (9.1-11), "apenas àqueles que não tinham o selo de Deus na testa"(9.4). Pela descrição simbólica em Apocalipse, esses gafanhotos se assemelham a armaduras ou veículos de combate (9.5-10). Pode ser uma referência à perseguição do anticristo àqueles que escolheram não receber a marca da besta; que serão mortos por causa de seu testemunho. Esse é o primeiro *ai*.

Ao toque da sexta trombeta, "Os quatro anjos, que estavam preparados para aquela hora, dia, mês e ano, foram soltos para matar um terço da humanidade" (9.15). Esse é o exército de 200 milhões de soldados (v. 16) que atravessarão o rio Eufrates para tentar destruir Israel no vale do Armagedom. Esse é o segundo *ai*.

A retomada do reino por Jesus inicia-se na *última trombeta*, fechando, assim, as sete trombetas descritas a seguir.

As sete trombetas	
Primeira	Granizo, fogo e sangue
Segunda	Montanha em chamas
Terceira	Estrela Absinto
Quarta	Sol perde a força
Quinta	Praga de gafanhotos, primeiro ai
Sexta	Praga dos cavaleiros, segundo ai
Sétima	Reino de Cristo

Apocalipse

As sete figuras-chave

Cap. 12—14

A mulher, o dragão, o menino, o arcanjo Miguel, o remanescente, o anticristo e o falso profeta compõem as sete figuras-chave da *grande tribulação*, que começa com a perseguição do anticristo aos judeus e a todos que confessam o nome de Jesus.

Procuremos compreender quem são essas figuras e como elas atuarão no fim dos dias.

Mulher. Alguns estudiosos afirmam que a mulher mencionada aqui corresponde à Igreja que será perseguida durante a tribulação. No entanto, o texto diz que a mulher "estava grávida e gritava de dor, pois estava para dar à luz" (12.2), e que o filho dela "governará todas as nações com cetro de ferro" (12.5). Ora, quem a Palavra declara que governará o mundo com cetro de ferro? Jesus! Veja o que relata o Salmos 2, um texto messiânico do começo ao fim:

> Por que se amotinam as nações
>   e os povos tramam em vão?
> Os reis da terra tomam
>   posição e os governantes conspiram unidos
> contra o Senhor e contra o seu ungido,
>   e dizem:
> "Façamos em pedaços as suas correntes,
>   lancemos de nós as suas algemas!"
> Do seu trono nos céus
>   o Senhor põe-se a rir e caçoa deles.
> Em sua ira os repreende
>   e em seu furor os aterroriza, dizendo:
> "Eu mesmo estabeleci o meu rei
>   em Sião, no meu santo monte".

Proclamarei o decreto do SENHOR:
Ele me disse: "Tu és meu filho;
    eu hoje te gerei.
Pede-me, e te darei as nações como herança
    e os confins da terra como tua propriedade.
Tu as quebrarás com vara de ferro
    e as despedaçarás como a um vaso de barro".
Por isso, ó reis, sejam prudentes;
    aceitem a advertência, autoridades da terra.
Adorem o SENHOR com temor;
    exultem com tremor.
Beijem o filho, para que ele não se ire
    e vocês não sejam destruídos de repente,
    pois num instante acende-se a sua ira.
Como são felizes todos os que nele se refugiam!

Mais claro do que isso, impossível! Jesus regerá as nações com cetro de ferro. Se Jesus tem sua origem no povo judeu, então a mulher descrita em Apocalipse 12 está retratando Israel. Portanto, nessa simbologia escatológica, a mulher é Israel; e Jesus, seu filho.

Dragão. Ninguém questiona que o dragão represente o Diabo. Mas a aparência dele nessa visão é bem peculiar: "[...] um enorme dragão vermelho com sete cabeças e dez chifres, tendo sobre as cabeças sete coroas" (12.3). Cada cabeça simboliza um reino (ou nação) que Satanás levantou ao longo da História para destruir Israel. Glória a Deus porque todos fracassaram.

Qual foi o primeiro reino que fez de tudo para aniquilar o povo judeu? Sim, o Egito — a *primeira cabeça*. Depois, os assírios — a *segunda cabeça* — invadiram e arrasaram o Reino do Norte (as dez tribos de Israel). Quase todos os israelitas

Apocalipse

foram levados cativos e nunca mais voltaram. Mesmo assim, a tribo de Judá e a cidade de Jerusalém permaneceram como povo do Senhor.

Babilônia, a *terceira cabeça* do dragão. Pérsia, a *quarta cabeça*. Grécia, a *quinta cabeça*. Na verdade, no original, as referências à Grécia em Apocalipse usam o termo *Javan*, comumente traduzido por "Jônia". A região que hoje conhecemos como Grécia, naquela época, chamava-se *Makedonía* (Macedônia).

O Império Romano é a *sexta cabeça*. A sétima cabeça, ou reino, talvez seja a Comunidade Europeia. O "Brexit", junção das palavras "Britain" (Grã-Bretanha) e "exit" (saída), ou seja, a saída da Reino Unido da União Europeia (UE) é o princípio do esfacelamento do Velho Continente. Outros países pensam em seguir o mesmo caminho.

Agora, o que essas sete cabeças ou reinos têm em comum? São todos muçulmanos. Egito, Assíria (parte da Turquia e do Iraque), Babilônia (Iraque) Pérsia (Irã), Jônia (Turquia) — em todas essas regiões, prevalece o islamismo. Mas o Império Romano não é muçulmano, pensamos. Não será mesmo?

Em 287 d.C., o imperador Diocleciano assumiu o governo do Império Romano. Ele percebeu que não daria conta de liderar toda essa vasta região. Então, Diocleciano dividiu o reino: o Império Romano do Ocidente permaneceu com sua capital em Roma, e o Império Romano do Oriente foi estabelecido com sua capital em Bizâncio. Em 306 d.C., por causa de uma guerra civil, assumiu o imperador Constantino. Bizâncio passou a ser chamada Constantinopla em homenagem ao imperador. Hoje, Constantinopla é a cidade de Istambul, na Turquia. Portanto, em uma perspectiva mais apurada, o Império Romano tem raízes muçulmanas.

Quando o profeta Daniel interpretou o misterioso sonho do rei Nabucodonosor (Daniel 2), na visão havia uma grande estátua cuja cabeça "era feita de ouro puro; o peito e o braço eram de prata; o ventre e os quadris eram de bronze; as pernas eram de ferro; e os pés eram em parte de ferro e em parte de barro" (2.32,33).

Cada parte do corpo da estátua representava um reino: a cabeça de ouro — os *babilônios*; o peito e o braço de prata — os *medo-persas*; o ventre e os quadris de bronze — os *jônios*; e os pés de ferro misturado com barro — os *romanos*. Ferro significa governo duro, tirano; barro representa maleabilidade. Portanto, tudo indica que o Império Romano reconstruído será formado em parte pela dureza do islã e em parte pela democracia do Ocidente.

Em Apocalipse, durante o governo do anticristo, muitas pessoas serão decapitadas "por causa do testemunho de Jesus e da palavra de Deus. Eles não tinham adorado a besta nem a sua imagem, e não tinham recebido a sua marca na testa nem nas mãos" (20.4). Que religião executa seus adversários por decapitação? O islã. O anticristo não terá respeito pelo amor às mulheres (Daniel 11.37). Que religião relega a mulher a segundo plano? O islã. Portanto, há razões para acreditarmos que o anticristo será um líder político (talvez de origem ocidental). Contudo, seu governo — que a Bíblia define como o "trono de Satanás"[2] — será estabelecido no Oriente; provavelmente em Istambul, a antiga Constantinopla.

---

[2] Apocalipse 2.12,13 nos fala da cidade de Pérgamo como sendo o lugar do trono de Satanás. Pérgamo fica na Turquia, um país que já foi a sede do Império Otomano. Seu líder atual, Tayyip Erdogan, planeja ressuscitar o califado otomano, que historicamente perseguiu os judeus em todos os países que dominou. Talvez seja ali a futura sede do governo do anticristo.

Apocalipse

A escatologia do islã define que, no final dos tempos, haverá uma guerra santa (*jihad*). Todas as pessoas capturadas pelos exércitos muçulmanos serão forçadas a se converter ao islamismo. Se elas se recusarem, serão decapitadas. Talvez, nesse sentido, Walid Shoebat esteja certo sobre as pessoas serem obrigadas a usar uma bandana na testa e na mão direita, com a inscrição "Bismillah" ("Em nome de Alá").

Miguel, o arcanjo. A partir desse momento,

> "Houve [...] uma guerra nos céus: Miguel e seus anjos lutaram contra o dragão, e o dragão e os seus anjos revidaram. Mas estes não foram suficientemente fortes, e assim perderam o seu lugar nos céus" (12.7,8).

A batalha final entre o bem e o mal iniciará nas regiões celestiais, onde estão os principados e as potestades, as hostes malignas sob a liderança de Satanás (Efésios 6.12). Miguel e seus anjos lançarão na terra Satanás e seus demônios. O Diabo em pessoa estará entre os homens. Se as pessoas se sentem atormentadas pelos demônios, imagine quando elas forem perseguidas pelo próprio Inimigo, na grande tribulação!

> "[...] Mas ai da terra e do mar, pois o Diabo desceu até vocês! Ele está cheio de fúria, pois sabe que lhe resta pouco tempo." (Apocalipse 12.12)

O Diabo não poderá mais acusar os servos do Senhor, como fazia dia e noite diante de Deus (cf. 12.10). Satanás compareceu diante do trono celestial para acusar Jó injustamente; e assim ele continuou fazendo durante toda a história humana. Todavia, quando o arcanjo Miguel manifestar o poder do Altíssimo, as vozes de acusação do mal cessarão por completo.

O remanescente. A quinta figura-chave será o povo de Israel, que se salvará durante a grande tribulação, por crer que Jesus é o Messias, o Filho de Deus.

O anticristo. A sexta figura-chave será o anticristo, a besta que surgiu do mar. O anticristo será um líder político

O falso profeta. A sétima figura-chave será o falso profeta, a besta que veio da terra. O falso profeta será um líder religioso.

As sete figuras-chave	
Primeira	Mulher — *Israel*
Segunda	Dragão — *Satanás, o terceiro ai*
Terceira	Menino — *Jesus Cristo*
Quarta	Miguel — *Arcanjo*
Quinta	Remanescente — *Israel salvo*
Sexta	Anticristo — *Besta do mar*
Sétima	Falso profeta — *Besta da terra*

As sete pragas

Cap. 15—16

Feridas malignas. A *primeira praga* causará feridas "naqueles que tinham a marca da besta e adoravam a sua imagem" (16.2). Serão chagas terríveis, mas não fatais. É muito importante reconhecer que o próprio Deus causará esses males às pessoas (16.1). O Senhor derramará juízo sobre a terra. Deus é amor (1João 4.8) e também ama a justiça e a retidão (Salmos 33.5). "A retidão e a justiça são os alicerces

do teu trono; o amor e a fidelidade vão à tua frente." (Salmos 89.14.) Por isso, Deus não deixará o pecado sem consequências. Na grande tribulação, o Senhor julgará todos aqueles que desprezaram seu nome e rejeitaram seu Filho.

Mar em sangue. Alguns especialistas deduzem que a *segunda praga* causará uma intensa reação bioquímica nas algas que permeiam os oceanos, deixando a água do mar avermelhada e com o nível de oxigênio muito baixo. Consequentemente, morrerá todo ser vivente que estiver no mar (cf. 16.3).

Rios em sangue. A *terceira praga*, por sua vez, será responsável por transformar a água potável em sangue. Da mesma forma que se deduz que acontecerá na praga anterior, uma reação química deve deixar as águas doces e potáveis avermelhadas, com baixo nível de oxigênio. Consequentemente, haverá morte dos seres viventes ali (cf. 16.4).

Calor intenso. A *quarta praga* provocará tamanho calor solar que provocará queimaduras profundas. O texto nos informa que o Sol terá maior poder (cf. 16.8). Diversas possibilidades físicas poderiam causar essa praga, tais como aproximação entre a Terra e o Sol, ou extinção da camada de ozônio.

Escuridão. A *quinta praga* provocará densas trevas sobre a terra, e "os homens mordiam a própria língua e blasfemavam contra o Deus dos céus, por causa das suas dores e das suas feridas; contudo, recusaram arrepender-se das obras que haviam praticado" (16.10,11). Não se sabe se a escuridão será causada por um eclipse ou se ainda será consequência dos meteoros que terão caído sobre o Planeta e lançado toneladas de poeira na atmosfera.

O rio Eufrates seca. A *sexta praga* fará que as águas do principal rio do Oriente sequem (16.12). Talvez essa seca não aconteça por consequências naturais. Atualmente, existe uma barragem no rio Eufrates, na Turquia, chamada Ataturk. Se o governo turco decidir, por alguma razão, fechar a barragem, o rio Eufrates secará, ainda que temporariamente.

Por que é relevante a informação de que o rio Eufrates seque? Porque Apocalipse profetiza que 200 milhões de soldados do Oriente (v. Apocalipse 9.16) atravessarão o rio Eufrates em direção ao vale de Jezreel para destruir Israel; trata-se da batalha do Armagedom.

Creio que esses exércitos serão compostos por muçulmanos e chineses. Porque, no atual panorama político, China, Rússia, Irã e Turquia são aliados. O que eles têm em comum? Odeiam Deus e Israel. Na Revolução Comunista da China, em outubro de 1949, os comunistas tomaram o poder e proclamaram a República Popular da China, sendo Mao Tsé-Tung o líder supremo da nação. Durante a revolução, Mao Tsé-Tung assassinou mais de 50 milhões de pessoas; os primeiros da fila eram os cristãos. Não podemos nos esquecer de que o comunismo é contra Deus.[3] Uma oposição que será manifesta abertamente na grande tribulação.

Onde quer que impere o comunismo, as pessoas podem ser instigadas a deixar de crer em Deus. Mas "Como é feliz

---

[3] Na escatologia bíblica, há afirmações claras de que países como Rússia e China invadirão Israel. É necessário ressaltar que, nas nações comunistas, o cristianismo foi e ainda é perseguido por ser considerado um pensamento antirrevolucionário.

a nação que tem o SENHOR como Deus" (Salmos 33.12). O mapa econômico global mostra que os países que invocam Deus e incorporam os princípios bíblicos em seu governo sempre prosperam. As nações que por meio da Reforma se tornaram protestantes ficaram mais prósperas.[4]

Hoje, os pensadores comunistas estão dominando o ambiente acadêmico; parece que não existe mais produção intelectual fora do círculo comunista. Nossos filhos estão sendo educados por professores de esquerda. Com isso, mesmo em famílias cristãs, consolidadas nas verdades bíblicas, muitos filhos estão sofrendo uma *metanoia* no entendimento, a ponto de questionarem a existência de Deus.

Chuvas de granizo*. A *sétima praga* acarretará intensas chuvas de granizo, com pedras de gelo equivalentes a um talento — 30 quilos.

As sete pragas	
Primeira	*Feridas malignas*
Segunda	*Mar em sangue*
Terceira	*Rios em sangue*
Quarta	*Calor intenso*
Quinta	*Escuridão*
Sexta	*Rio Eufrates seca*
Sétima	*Chuvas de granizo*

---

[4] Conforme o sociólogo e economista Max Weber, em seu livro **A ética protestante e o espírito do capitalismo**.

As sete quedas da Babilônia

Cap. 17—18

A Babilônia reflete o sistema religioso contra Deus. Desde o início, opôs-se a Deus e até o fim permanecerá assim. Ainda assim, sofrerá sete quedas até que seja completamente destruída na grande tribulação (Apocalipse 18.2). Perderá todos os seus seguidores (18.4 — *primeira queda*) para as calamidades provocadas pelo juízo do Eterno. A Babilônia, "o fogo a consumirá, pois poderoso é o Senhor Deus que a julga" (18.8 — *segunda queda*). Será destruída de uma só vez (18.10 — *terceira queda*). Quando virem a fumaça de seu incêndio, todos sentirão medo de entrar na Babilônia (18.9,10 — *quarta queda*). Perderá todas as suas riquezas "[...] e todo o seu esplendor se desvaneceram; nunca mais serão recuperados" (18.14 — *quinta queda*). Será derrubada violentamente "para nunca mais ser encontrada" (18.21 — *sexta queda*). Por fim, deixará de existir por completo (18.22,23 — *sétima queda*).

A volta de Cristo

Cap. 19—21

Batalha do Armagedom. O vale de Jezreel será o palco da última batalha na grande tribulação. De cima do monte Carmelo, pode-se contemplar toda aquela planície a perder de vista. Milhões de soldados atravessarão o rio Eufrates seco e acamparão na planície de Jezreel (cf. 19.19), para definir a melhor estratégia de invadir Israel e exterminar todos os judeus.

Naquele momento, Jesus Cristo descerá do céu montado em um cavalo branco, e "Em seu manto e em sua coxa está escrito este nome: REI DOS REIS E SENHOR DOS

Apocalipse

SENHORES" (19.16). Ao lado dele, "Os exércitos dos céus o seguiam, vestidos de linho fino, branco e puro, e montados em cavalos brancos" (19.14).

Os soldados do inimigo perceberão que estavam do lado errado e que terão sido enganados pelo anticristo. Mas será tarde demais. Todos serão mortos pela espada afiada que sairá da boca do Cordeiro. Que demonstração de poder!

Na *primeira vinda*, Jesus foi ungido pelo Espírito para levar boas notícias aos pobres, animar os aflitos, anunciar a libertação aos escravos e a liberdade aos presos (v. Isaías 61.1,2). Na *segunda vida*, no final da grande tribulação, Cristo cumprirá a parte final daquela profecia: "[...] chegou o dia em que o nosso Deus se vingará dos seus inimigos [...]" (61.2, *Nova Tradução na Linguagem de Hoje*) — o dia da vingança do nosso Deus. Aleluia! Em Nazaré, ele se apresentou como o Servo Sofredor; no vale de Jezreel, ele estará em vestes talares brancas, como Rei dos reis e Senhor dos senhores.

É por isso que precisamos adorá-lo com temor e tremor. Jesus criou todo o Universo com a palavra, e com a espada de sua boca destruirá todos os que se levantaram contra seu nome. Deus é longânimo e não tem prazer em tirar vidas. No entanto, o Senhor não tratará o culpado como inocente.

Muitas vezes, pecamos por falta de temor. Deus nos ama eternamente e nos aceita incondicionalmente; no entanto, isso não nos dá o direito de afrontá-lo como fazem os ímpios. O tempo de começar o julgamento já chegou, e os que pertencem ao povo de Deus serão os primeiros a ser julgados (cf. 1Pedro 4.17). Antes que venha o arrebatamento, haverá um tempo de disciplina sobre os cristãos para que sejam fiéis. Jesus alerta à sua Igreja:

> Depois vi um grande trono branco e aquele que nele estava assentado. A terra e o céu fugiram da sua presença, e não se encontrou lugar para eles. Vi também os mortos, grandes e pequenos, em pé diante do trono, e livros foram abertos. Outro livro foi aberto, o livro da vida. Os mortos foram julgados de acordo com o que tinham feito, segundo o que estava registrado nos livros (Apocalipse 20.11,12).

Essa é a mensagem que você e eu temos que pregar neste mundo. Porque as pessoas que negam Deus hoje não fazem ideia do que as aguarda na grande tribulação. É nosso dever, como servos do Senhor, proclamar a palavra da salvação antes que seja tarde demais. Precisamos nos revestir de ousadia e desmascarar esse "falso evangelho" que está sendo pregado em algumas igrejas em que se permite tudo. O mesmo apóstolo Paulo que nos ensina que somos salvos somente pela graça de Jesus (Efésios 2.8) também afirma que não devemos permanecer no pecado. Se estamos mortos para o pecado, como viveremos ainda nele (v. Romanos 6.1,2)?

Quem entregou a vida a Jesus, deve viver para ele. E quem vive para Jesus, guarda os seus mandamentos. Ou nos santificamos hoje, ou estaremos na grande tribulação com uma espada na mão.

O casamento do Cordeiro. Em seguida, virá o *grand finale*, o casamento do Cordeiro. Antes, porém, haverá três colheitas que dizem respeito ao encontro com o Senhor. A primeira é a *colheita da cevada* — a festa das primícias. A cevada parece com trigo, mas a casca é bem mais macia. Sabe como os ceifeiros separavam a casca do miolo da cevada? Jogavam o feixe para cima, e o vento se encarregava de levar a casca enquanto a semente caía de volta. O *vento* tipifica o

Apocalipse

Espírito Santo, e a *cevada* simboliza a Igreja. Quem teve fé por causa do Espírito, será arrebatado.

A segunda é a *colheita do trigo*. O trigo possui casca dura. Sabe como os ceifeiros separavam a casca do miolo do trigo? Estendiam os feixes no chão e sobre eles passavam uma tábua pesada chamada *tribulum*, que triturava a casca, permitindo assim que a semente saísse. Daí se originou a palavra "tribulação". O trigo representa o povo de Israel. Por sua dureza de coração, os judeus serão quebrantados na grande tribulação. Muitos serão salvos e estarão diante do trono de Deus ao lado das duas testemunhas.

A terceira é a *colheita para o vinho*. Representa a parte final da tribulação quando a ira de Deus será derramada sobre a terra. Assim como se fazia vinho antigamente, quando os agricultores pisavam as uvas no lagar, assim se fará no fim dos dias — a terra será "esmagada" pelo juízo do Senhor. Essa será a última colheita. No final da tribulação, haverá um remanescente que se converterá a Jesus, mas terá sido pisado como as uvas reservadas para preparar o vinho.

Se você entregou o coração a Jesus e vive em fidelidade, sinta-se agraciado; você é *cevada*. O vento do Espírito foi suficiente para que você se arrependesse e se convertesse ao evangelho. Quando o mesmo Espírito soprar nos quatro cantos, para reunir aqueles que são selados, você e eu estaremos presentes. Aleluia!

Na *segunda vinda*, Jesus surgirá no céu em glória, majestade e poder. A Igreja e os santos anjos estarão perfilados, prontos para a batalha final. Com a vitória certa de Cristo, o anticristo e o falso profeta serão os primeiros inquilinos do inferno. Jesus disse que o lago de fogo, o inferno, foi "preparado para o Diabo e os seus anjos" (Mateus 25.41). Não estava nos propósitos de Deus que o inferno fosse o destino dos homens. Pois o Senhor "deseja que todos os homens sejam salvos e cheguem ao pleno conhecimento da verdade" (1Timóteo 2.4). Os homens estarão no inferno porque insistiram em desobedecer; preferiram a mentira ao conhecimento da verdade.

Reinado de Cristo no milênio. Aqueles que não se converterem a Jesus e morrerem em algum momento da grande tribulação estarão confinados no Hades ou Sheol — uma espécie de inferno temporário. Jesus comentou sobre esse lugar ao contar a história do rico e Lázaro (cf. Lucas 16.19-31). Os ímpios não serão lançados imediatamente no lago de fogo (inferno), porque, logo após derrotar o anticristo e o falso profeta, Jesus julgará as nações. Somente depois entraremos no milênio — os mil anos em que Cristo reinará sobre toda a terra.

Quem habitará na terra durante o milênio? Todos os que permaneceram vivos na grande tribulação. Trata-se daqueles que, de alguma forma, conseguiram sobreviver às calamidades que assolarão o Planeta em consequência da ira do Senhor. O milênio será um período diferente de tudo que já vimos. Um homem de 100 anos será considerado jovem (Isaías 65.20), pois a vida será muito mais longa e próspera do que agora.

Quem mais viverá no milênio? *Você e eu*, bem como toda a Igreja que foi arrebatada antes da tribulação. A diferença entre nós e os demais moradores é que o nosso corpo estará glorificado.

Jesus em pessoa governará durante todo o milênio, e terá a Igreja a seu lado em todas as decisões. Os postos de liderança serão todos definidos por Cristo e ocupados somente por

Apocalipse

aqueles que tiverem o corpo glorificado e incorruptível. Não haverá disputa de eleição; as esferas de administração serão determinadas por Jesus. Diariamente, ele aparecerá em Jerusalém para ensinar as nações. O mundo irá reverdecer; paz e alegria preencherão o coração das pessoas de qualquer idade. Não haverá mais enfermidades em decorrência do pecado.

No decorrer desses mil anos, milhões de pessoas terão nascido. E, mesmo que vivam em um mundo extraordinário, de bênção e paz, muitos cederão ao pecado. Satanás, que terá permanecido aprisionado durante o milênio, será solto mais uma vez e tentará seduzir as nações. Por mais incrível que pareça, muitas pessoas preferirão viver na maldade. Serão parecidas com aquelas que hoje veem milagres acontecerem, famílias sendo transformadas, mas que insistem em permanecer céticas.

Se Jesus estabelecer a base de seu reino em Jerusalém, então Israel será a nação mais poderosa da terra. Deus ama Jerusalém mais do que às demais cidades juntas...

> Por amor de Sião eu não sossegarei,
> por amor de Jerusalém não descansarei
> enquanto a sua justiça
>   não resplandecer como a alvorada,
> e a sua salvação,
>   como as chamas de uma tocha.
> As nações verão a sua justiça,
>   e todos os reis, a sua glória;
> você será chamada por um novo nome
>   que a boca do SENHOR lhe dará.
> Será uma esplêndida coroa
>   na mão do SENHOR,
> um diadema real na mão do seu Deus.
> (Isaías 62.1-3)

Ao final do reino milenar, Satanás será solto para fazer o último levante contra o Senhor:

> As nações marcharam por toda a superfície da terra e cercaram o acampamento dos santos, a cidade amada; mas um fogo desceu do céu e as devorou. O Diabo, que as enganava, foi lançado no lago de fogo que arde com enxofre, onde já haviam sido lançados a besta e o falso profeta. Eles serão atormentados dia e noite, para todo o sempre (20.9,10).

Não haverá necessidade nem de Sol, nem de Lua, porque o Cordeiro será a luz do mundo. Jesus terá o corpo de um homem, mas sua glória, sua paz, seu amor serão tão palpáveis que não precisaremos de mais nada — sua presença nos preencherá. "Novos céus e nova terra" (cf. Apocalipse 21.1) estão reservados para aqueles que perseverarem até o fim na Palavra do Senhor. A nova Jerusalém — revestida de esplendor — descerá sobre a terra (v. 21.2).

Agora se prepare: a nossa morada final será aqui mesmo na terra! A terra completamente restaurada pelo reinado do Cordeiro no milênio será o centro do Universo.

Jesus "enxugará dos seus olhos toda lágrima. Não haverá mais morte, nem tristeza, nem choro, nem dor, pois a antiga ordem já passou" (21.4). Do trono de Deus e de Cristo sairá um rio de água viva, claro como cristal (22.1), e "no meio da rua principal da cidade. De cada lado do rio estava a árvore da vida, que frutifica doze vezes por ano, uma por mês. As folhas da árvore servem para a cura das nações" (22.2).

O homem nunca teve vida eterna em si mesmo. Adão poderia ter sido eterno se tivesse permanecido em obediência a Deus. No milênio e na eternidade, não precisaremos mais nos preocupar com o pecado; mesmo se quiséssemos, não

Apocalipse

conseguiríamos pecar. Sabe por quê? Corpo, alma e mente, tudo em nós estará revestido de santidade; seremos incorruptíveis pelos séculos dos séculos.

Antes de terminar

Antes de encerrar este capítulo, é muito importante esclarecer alguns fatos sobre os últimos dias.

Logo após o arrebatamento, todos os salvos se apresentarão no tribunal de Cristo "para que cada um receba de acordo com as obras praticadas por meio do corpo, quer sejam boas quer sejam más" (2Coríntios 5.10). Jesus prometeu que quem ouve sua palavra e crê naquele que o enviou tem a vida eterna e não entrará em juízo, mas já passou da morte para a vida (cf. João 5.24). Isso quer dizer que o tribunal de Cristo será para definir que galardão receberemos. O contexto bíblico deixa evidente que o crente em Jesus não estará em juízo.

No final do milênio, depois da derrota de Satanás, aparecerá o trono branco (cf. Apocalipse 20.11). Quem irá comparecer diante dele? Todos os cristãos que se converteram e morreram na tribulação, todos os cristãos do milênio e todos os perdidos desde o início do mundo. E a Bíblia afirma que, se alguém não tiver seu nome escrito no livro da vida, será lançado no lago de fogo (v. Apocalipse 20.15).

O inferno é mais real do que a paisagem que contemplamos da janela da sala. Quem não quiser ser lançado nesse lugar de dor eterna, precisa se render totalmente a Jesus e viver em santidade.

Os médicos dizem que, quando alguém sofre uma parada cardíaca, o cérebro ainda se mantém funcionando por alguns minutos. Então, se uma pessoa ouvir, no leito de morte, a

Panorama de Apocalipse

pergunta "Você recebe Jesus como o seu Senhor e Salvador?", é possível que o cérebro dela processe uma resposta afirmativa, mesmo sem palavras. Ouvi o testemunho de um homem que passou por isso. Durante uma parada cardíaca, ele pensou: "Deus, eu tentei fazer o certo, mas não consegui; perdoa-me". E o Senhor o trouxe de volta. Desde então, ele abandonou os pecados e hoje vive para Deus. Portanto, não será por falta de oportunidade que as pessoas deixarão de ser salvas.

No tribunal de Cristo, as nossas obras serão *provadas pelo fogo*. O apóstolo Paulo compara essas obras com alguns materiais bem conhecidos:

> Se alguém constrói sobre esse alicerce usando ouro, prata, pedras preciosas, madeira, feno ou palha, sua obra será mostrada, porque o Dia a trará à luz; pois será revelada pelo fogo, que provará a qualidade da obra de cada um. Se o que alguém construiu permanecer, esse receberá recompensa (1Coríntios 3.12-14).

Ouro, prata e pedras preciosas resistem ao fogo. Mas madeira, feno e palha são desintegrados! Se as nossas obras permanecerem durante essa prova, receberemos galardão.

Estamos vivendo os últimos segundos do relógio de Deus. Eu sei que posso ser muito melhor do que sou. Por isso, não quero fazer nada que não seja para a glória de Deus, pois o meu coração anseia por ouvir naquele grande dia:

> "[...] 'Muito bem, servo bom e fiel! Você foi fiel no pouco, eu o porei sobre o muito. Venha e participe da alegria do seu senhor!' "(Mateus 25.21).

Palavra final

Embora os dias em que vivemos sejam decepcionantes, eu acredito que, perto do fim, o Espírito Santo derramará um grande temor sobre a Igreja. Sem santidade, não veremos a glória do Senhor. Que haja arrependimento verdadeiro em cada um de nós.

A Igreja tem perdido tanto tempo lutando contra si mesma. Irmãos acusando irmãos, pastores difamando pastores. Enquanto isso, as pessoas que deveriam ser atraídas pelo amor se escandalizam com as atitudes dos cristãos. Em vez de levar a "boa notícia" de que, por amor, Deus entregou seu único Filho para nos salvar, estamos mostrando à sociedade a nossa disputa pelo poder.

Não sabemos quanto tempo ainda nos resta. Precisamos nos posicionar como profetas de Deus neste tempo de caos como a noiva santificada que aguarda ansiosa a chegada do Noivo.

No dia do casamento, a noiva se prepara especialmente para ser recebida pelo noivo no altar. Que haja em nós a mesma dedicação e o azeite suficiente para que a nossa lâmpada permaneça acesa até que Jesus volte e nos leve à sua presença. É assim que devemos viver. Amém.

> "Portanto, vigiem, porque vocês não sabem o dia nem a hora!". (Mateus 25.13)